Fenêtre ouverte sur la science
L'ENERGIE

Desmond Boyle

ÉTUDES VIVANTES
Paris - Montréal

Couverture : raffinerie de pétrole au Pérou.
A droite : différentes formes et sources d'énergie

Sommaire

Qu'est-ce que l'énergie ?

▲ *La majeure partie de notre énergie lumineuse provient du soleil. Bien que la lumière parcoure 300 000 km par seconde, il lui a fallu plusieurs années pour atteindre la terre.*

▲ *La bougie et l'allumette sont des sources d'énergie calorifique et lumineuse. La tête de l'allumette est couverte de produits chimiques qui stockent l'énergie.*

▲ *L'éclair est une manifestation spectaculaire d'énergie électrique naturelle. Il se crée entre des nuages lorsque les charges électriques positives et négatives portées par les gouttes d'eau se séparent au cours de la congélation.*
Le train à vapeur met en jeu plusieurs formes d'énergie. L'énergie mécanique qui met les roues en mouvement est due à la chaleur de la vapeur.

L'énergie peut être définie comme la *capacité* de fournir un travail. La matière et l'énergie constituent le fondement de la vie. La matière nous apparaît plus tangible que l'énergie. Celle-ci influence la matière soit en la chauffant, soit en la déplaçant, soit en l'électrisant.

L'énergie est également associée à la transformation. Des transformations physiques, chimiques ou biologiques interviennent quand il y a des conversions d'énergie ; par exemple, quand l'énergie chimique d'un combustible est transformée en énergie calorifique. Au cours de ces transformations, la quantité totale d'énergie demeure constante.

Les formes de l'énergie

La quantité totale d'énergie est répartie dans l'univers sous une grande diversité de formes, que recouvrent des notions connues telles que la chaleur, l'électricité, la lumière et le son. Bien qu'on utilise d'autres notions moins courantes, les formes d'énergie correspondantes sont aisément reconnaissables.

Toute énergie emmagasinée est désignée sous le terme général d'*énergie potentielle*. Le tir à l'arc peut être considéré comme *une étude de l'énergie potentielle d'une corde tendue*. L'énergie potentielle d'une bombe atomique peut entraîner de gigantesques destructions, alors qu'une centrale nucléaire peut domestiquer cette même énergie pour notre usage. L'énergie potentielle apparaît aussi bien sous forme chimique dans la pile d'une calculette que sous forme gravitationnelle dans l'eau retenue par le barrage d'une centrale hydroélectrique.

L'*énergie cinétique* est celle qu'un objet possède par suite de son mouvement. De l'électron, trop petit pour être visible, qui orbite autour d'un noyau atomique, à une grande étoile le long de sa trajectoire, tous les objets en mouvement possèdent une énergie cinétique.

Les autres formes comprennent l'*énergie mécanique* dépensée par les machines, et l'*énergie solaire* qui nous parvient en lumière et en chaleur. L'énergie nécessaire aux cellules vivantes provient de l'*énergie chimique* libérée au cours de la transformation de la nourriture par le corps humain.

Les formes d'énergie peuvent être classées en deux groupes, selon qu'elles sont plus ou moins facilement transformables. L'*énergie élec-*

▲
*L'énergie du son peut produire des sensations aussi bien de plaisir que de douleur. Les avions supersoniques créent des ondes de choc : les **bang** bien connus.*

▲
Les eaux dont le niveau est au-dessus de celui de la mer, coulent vers le bas sous l'action de la gravitation. Leur énergie potentielle de gravitation est alors transformée en énergie cinétique. L'énergie potentielle est emmagasinée à la fois dans l'arc bandé et sa corde. Lorsque la corde est relâchée, la flèche acquiert l'énergie cinétique de toutes les parties mobiles.

▲
L'énergie libérée par la bombe atomique détruit tout ce qui est autour. Les réacteurs nucléaires contrôlent les réactions nucléaires et les transforment en électricité.

trique est dite noble parce qu'elle peut être aisément convertie en d'autres formes utiles. Il n'en est pas de même de l'*énergie calorifique*.

Les unités de mesure

Il y a autant d'unités que de formes d'énergie. Pour éviter des confusions, les scientifiques ont adopté un système international (S.I.) d'unités. Dans ce système, l'unité de quantité d'énergie est le joule (J), baptisé d'après le nom du physicien anglais du XIXᵉ siècle : James P. joule.

Le joule est une unité très petite. Une lampe électrique de 100 watts dépense 100 j d'énergie électrique par seconde quand elle fonctionne. On mesure l'énergie fournie à l'usager avec une unité dérivée : le kilowatt-heure (kWh) qui vaut 3 600 000 joules. Le kilowatt-heure, cependant, est trop petit à l'échelle

des énergies consommées par une nation. On utilise alors la mégatonne-équivalent-pétrole (MTEP), qui est la quantité d'énergie que peuvent fournir 1 000 000 de tonnes de pétrole (1 MTEP vaut approximativement 10 000 kWh).

La puissance

La puissance est la quantité de travail effectuée par unité de temps. L'unité de mesure internationale (S.I.) correspondante est le watt (qui représente une dépense d'énergie de 1 joule par seconde). Une centrale de taille moyenne fournit environ 500 mégawatts (MW), c'est-à-dire qu'elle produit chaque seconde 500 millions de joules.

Compteur électrique

Ce compteur mesure votre consommation d'énergie et permet sa facturation.
▼

Les sources d'énergie

La majeure partie de notre énergie provient du soleil. Elle permet la transformation des plantes en nourriture pour les hommes et les animaux. L'énergie du soleil est emmagasinée dans le charbon, le bois et le pétrole que l'homme brûle pour en tirer du travail. L'évolution de l'humanité est conditionnée par la découverte de nouvelles sources d'énergie.

Les sources naturelles

Le soleil, le vent et l'eau ne satisfont qu'une petite partie des besoins de l'homme. L'énergie solaire est distribuée de manière non uniforme sur la surface terrestre. Les régions équatoriales en reçoivent trop, tandis que les calottes glaciaires sont la manifestation d'un manque d'énergie calorifique. Des siècles durant, le vent a permis la navigation maritime, le pompage de l'eau ou la mouture du grain. Les moulins à eau transformaient l'énergie cinétique de l'eau des rivières en énergie mécanique utile.

Les sources d'énergie naturelles ont un rôle important parce qu'elles sont renouvelables, c'est-à-dire qu'elles seront utilisables aussi longtemps qu'il y aura des hommes sur la terre.

Si les vents étaient domestiqués, les éoliennes deviendraient une source importante d'énergie électrique. Dans l'avenir, l'énergie géothermique qui utilise la chaleur interne de la terre, peut devenir aussi une source d'énergie importante. Les marées et les vagues sont aussi des sources de grand potentiel, mais leur utilisation ne pourra être envisageable qu'après des progrès fondamentaux de la technologie.

Les combustibles

Un combustible est une source d'énergie potentielle facilement transformable en chaleur. Le combustible idéal doit être non dangereux, bon marché, non polluant. Il n'est pas encore de combustible qui satisfasse à ces trois conditions. Le *charbon*, le *pétrole* et le *gaz naturel*

SOURCES NATURELLES

soleil

vent

eau

terre

sont les combustibles les plus utilisés, mais ils sont loin de constituer le combustible idéal. Ils sont, de plus, non renouvelables. Une fois tous les gisements épuisés, il n'y en aura pas d'autres.

Les *matières fissiles*, l'uranium et le plutonium, sont les derniers combustibles en date, mais les plus dan-

Le soleil, le vent, l'eau et la terre sont des sources d'énergie inépuisables. Mais très souvent, ces énergies sont difficiles à emmagasiner et à contrôler. Les combustibles sont plus commodes à utiliser, mais leurs ressources sont en voie d'épuisement. Dans l'avenir, il nous faudra compter davantage sur les sources naturelles pour satisfaire nos besoins.
▼

gereux que l'homme ait découverts.

Le *glucose* est un autre type de combustible. Il est la source d'énergie nécessaire à notre corps et constitue peut-être le seul combustible sans lequel l'homme ne pourrait survivre longtemps.

La crise de l'énergie

L'énergie totale rayonnée par le soleil et reçue par la terre est plus que suffisante pour satisfaire tous nos besoins d'énergie. Malheureusement cette énergie se gaspille dans la mesure où l'homme n'a pas encore pu mettre au point des techniques efficaces pour sa transformation en travail. Seules les plantes vertes l'utilisent systématiquement.

La crise de l'énergie est une manifestation de notre prise de conscience grandissante de la limitation des ressources d'énergie, à un moment où nos réserves s'épuisent. Bien que le problème ne puisse être résolu dans le cadre des technologies actuelles, il existe plusieurs moyens d'en atténuer les effets :
— sauvegarder nos sources d'énergie importantes et épuisables ;
— utiliser des combustibles nucléaires et biologiques dont l'importance va devenir de plus en plus grande pour la survie de l'humanité ;
— dépenser de fortes sommes d'argent pour la recherche de méthodes plus efficaces d'utilisation des énergies de remplacement.

COMBUSTIBLES

charbon

gaz naturel

pétrole

nucléaire

plantes

L'énergie du soleil

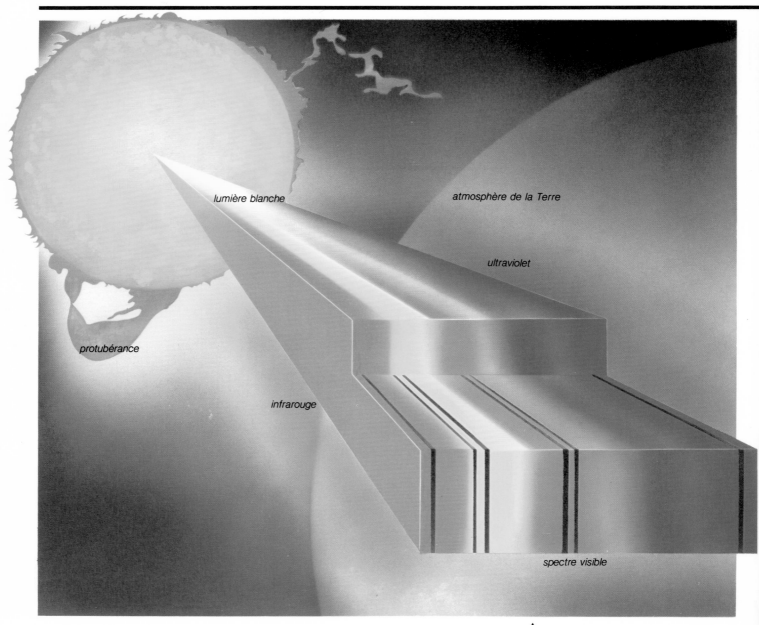

lumière blanche

atmosphère de la Terre

ultraviolet

protubérance

infrarouge

spectre visible

Le soleil émet des quantités fantastiques d'énergie depuis au moins 2 000 millions d'années et continuera de le faire pendant des milliers de millions d'années.

Cette énergie est le résultat d'une série complexe de réactions nucléaires dont le soleil est le siège. On estime que la température en son centre atteint 20 000 000 °C.

Cette énergie parvient à la terre sous forme de rayonnement. Si 0,01 % seulement de ce rayonnement pouvait être transformé en énergie noble, cela suffirait à satisfaire tous les besoins de l'humanité.

Les capteurs solaires

Les capteurs solaires sont souvent montés sur des toits orientés au sud

pour capter le maximum de rayonnements. Pour être vraiment efficaces, les côtés et le fond de tout capteur doivent être isolants, la surface réceptrice étant noire et mate. L'ensemble peut être recouvert de panneaux de verre à simple ou double épaisseur.

La moitié environ de la faible quantité d'énergie réfléchie par le fond noir est capturée par le panneau de verre qui la ré-émet vers le fond. Cette ré-émission est connue sous le nom d'*effet de serre* : c'est ce phénomène, en effet, qui permet de maintenir une serre à une température supérieure à celle de son environnement.

Un liquide, généralement un mélange d'eau et d'antigel, circule

▲
*Le rayonnement solaire traverse 150 millions de kilomètres d'espace vide avant d'atteindre l'atmosphère terrestre. Seule une faible fraction de ce rayonnement, le **spectre visible**, peut être détectée par l'œil humain. De part et d'autre du spectre visible, on trouve les rayonnements invisibles infrarouge et ultraviolet. Les atmosphères solaire et terrestre absorbent certaines bandes spectrales, aussi nous ne percevons sur terre que le spectre d'absorption de la lumière.*

Les habitants de cette maison ▶ possèdent une alimentation d'eau chaude solaire. L'énergie solaire chauffe le liquide qui circule entre les capteurs plans et le toit. Les capteurs sont noirs parce que cette couleur absorbe la quantité maximum de chaleur.

en circuit fermé sous le fond du capteur. La chaleur extraite du liquide ainsi réchauffé est conduite dans un échangeur. Celui-ci permet un échange de chaleur entre liquides sans que ceux-ci soient en contact direct.

Sous des climats tempérés, un nombre restreint de capteurs plans suffit pour alimenter une maison en eau chaude. Cependant les capteurs plans ne peuvent permettre d'atteindre que des températures inférieures à 100 °C. Pour dépasser cette limite, il faut utiliser des miroirs qui focalisent le rayonnement solaire. D'après la légende, Archimède a utilisé, il y a plus de 2 000 ans, un appareillage de ce genre pour mettre en feu la flotte romaine qui assiégeait Syracuse, sa ville natale.

Les capteurs focaux, ne collectant que le rayonnement direct du soleil, ne peuvent être efficaces que par des journées claires et ensoleillées. Ils doivent suivre constamment le trajet du soleil dans le ciel.

Les batteries solaires

Des batteries de cellules solaires peuvent convertir à la fois les lumières directe et diffuse en énergie électrique. Ce phénomène ne dépend pas de la chaleur comme l'ont montré

des expériences récentes menées au pôle Sud.

On peut utiliser des semi-conducteurs pour transformer la lumière directement en électricité. Le sulfure de cadmium et le silicium sont les semi-conducteurs les plus répandus. Les cellules au sulfure de cadmium sont meilleur marché. A l'heure actuelle les batteries solaires

Le rayonnement solaire est ici gaspillé sur l'océan. Seules les plantes utilisent réellement de façon efficace cette quantité énorme d'énergie.

sont encore trop chères pour pouvoir être utilisées dans les centrales à grande puissance. On utilise souvent des accumulateurs chimiques parallèlement à des appareillages solaires pour en pallier les aléas.

Chauffage solaire

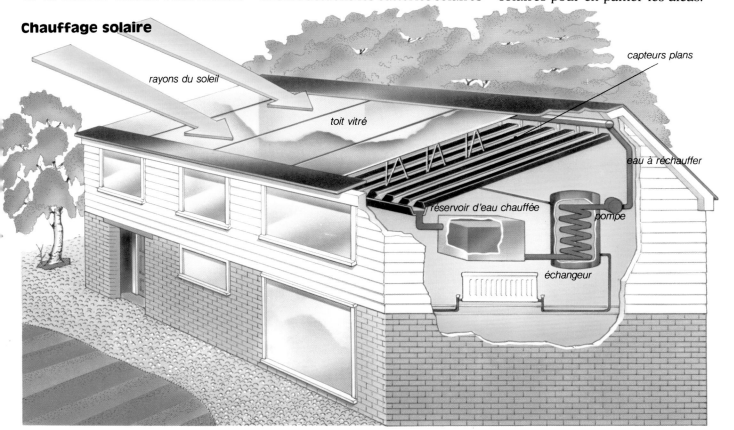

rayons du soleil

toit vitré

capteurs plans

eau à réchauffer

réservoir d'eau chauffée

pompe

échangeur

L'énergie de l'eau

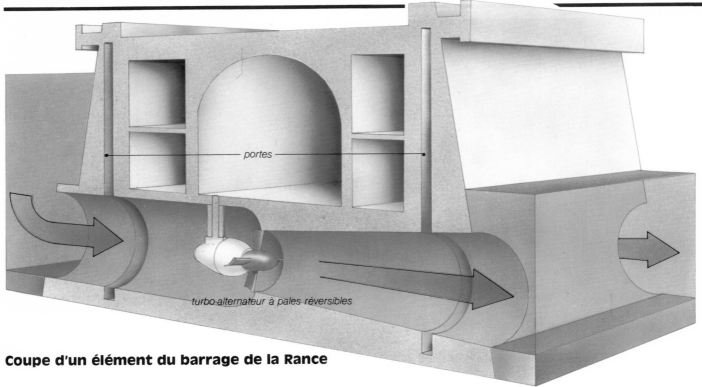

portes

turbo-alternateur à pales réversibles

Coupe d'un élément du barrage de la Rance

Coupe de la centrale marémotrice de la Rance. Les marées montantes et descendantes dans l'estuaire entraînent les turbo-alternateurs.

Le spectaculaire barrage de Kaprun en Autriche. A la base du barrage, les générateurs transforment l'énergie cinétique des eaux rapides en électricité.
▼

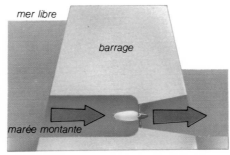

mer libre

barrage

marée montante

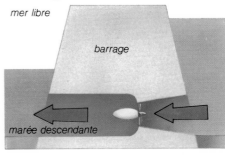

mer libre

barrage

marée descendante

Un grand barrage est un des monuments les plus impressionnants de la technique moderne. Autrefois, les moulins transformaient l'énergie cinétique de l'eau courante en énergie mécanique, au moyen de roues et d'engrenages. Les centrales hydroélectriques utilisent des turbines qui convertissent l'énergie cinétique en énergie électrique.

L'hydroélectricité

Le fonctionnement d'un barrage repose sur le principe suivant : la puissance électrique fournie est d'autant plus élevée que la différence de niveau entre le réservoir de retenue et les turbines situées à la base du barrage est plus grande.

Bien que l'énergie électrique soit à la fois inépuisable et non-polluante, la nécessité des barrages de retenue peut entraîner l'inondation définitive de vastes surfaces de terre utile. La plupart des nations industrielles ont déjà équipé les sites fluviaux les plus favorables.

Une caractéristique très importante des barrages à grande hauteur de chute est qu'ils permettent d'emmagasiner l'énergie. En dehors des périodes de pointe, l'électricité excédentaire peut servir à pomper l'eau du niveau le moins élevé au niveau le plus élevé. L'énergie potentielle ainsi acquise par les eaux pompées peut ultérieurement être transformée en électricité quand le besoin s'en fait sentir.

L'énergie marémotrice

Au XIIᵉ siècle, en Angleterre, les moulins à eau étaient entraînés par la marée. Aujourd'hui la France est en tête pour la domestication de l'énergie marémotrice. Le barrage de la Rance (près de Saint-Malo), d'une puissance de 240 000 kW) fournie par un ensemble de 24 turbines, est la plus grande centrale de transformation d'énergie marémotrice du monde. Les turbo-alternateurs sont entraînés par les marées montantes et descendantes dans l'estuaire de la Rance, deux fois par jour. La différence de niveau des eaux peut atteindre 10 mètres. Pendant les périodes de marée étale, les générateurs pompent l'eau de mer dans le bassin de retenue, ce qui permet d'emmagasiner une énergie potentielle supplé-

▲
Moulin à eau ancien en Forêt Noire (République Fédérale Allemande).

mentaire qui sera transformée en électricité aux heures de pointe.

Plusieurs autres nations étudient la possibilité de telles centrales. Mais les investissements nécessaires sont très élevés et le nombre de sites convenables réduit.

L'énergie des vagues

La puissance que peuvent fournir les vagues varie considérablement en fonction du temps qu'il fait.

Cependant, d'après des estimations récentes, un mètre de front d'onde pourrait fournir en moyenne 50 kW. Actuellement, le meilleur appareillage dont on dispose pourrait péniblement produire 15 kW d'électricité. Une centrale de ce type devrait avoir plusieurs kilomètres de long et constituerait alors un danger pour la navigation.

Énergie des vagues

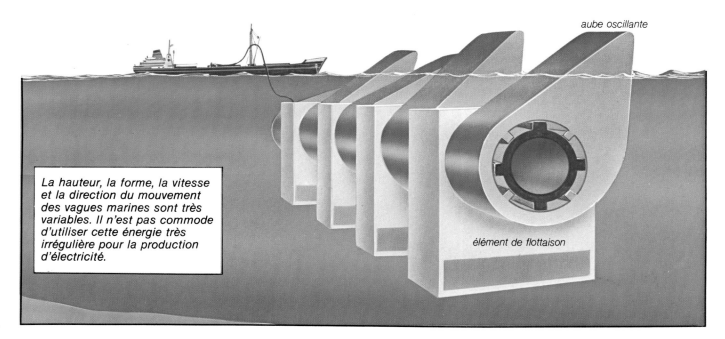

aube oscillante

La hauteur, la forme, la vitesse et la direction du mouvement des vagues marines sont très variables. Il n'est pas commode d'utiliser cette énergie très irrégulière pour la production d'électricité.

élément de flottaison

L'énergie du vent

Le manque de combustible pourrait bien, un de ces jours, entraîner un renouveau d'intérêt pour la marine commerciale à voiles. Mais l'intérêt principal de cette source d'énergie réside dans la mise au point d'éoliennes pour la production d'électricité. Autrefois, tous les engins mécaniques de transformation de l'énergie des vents étaient appelés *moulins à vent*, mais aujourd'hui on préfère le terme *éoliennes*.

La Hollande est souvent considérée comme le pays des moulins à vent. Il est vrai qu'à la fin du XVIIIe siècle, elle en possédait plus de 20 000. La plupart d'entre eux étaient utilisés à la conquête de nouvelles terres sur la mer : les *polders*. Aujourd'hui de nombreux pays utilisent l'énergie éolienne. On estimait, par exemple, qu'en 1975, il y avait 150 000 éoliennes aux Etats-Unis

La vitesse du vent

Pour mesurer la vitesse du vent, on utilise des anémomètres. Le type d'anémomètre le plus courant est constitué d'une hélice à trois pales

Moulin à vent

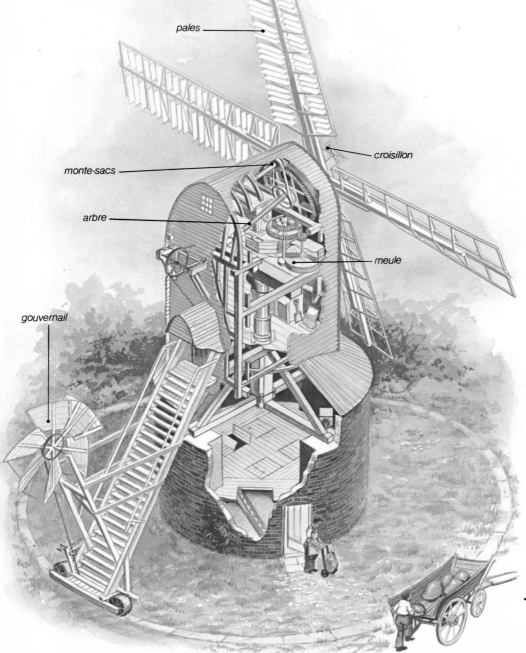

- pales
- croisillon
- monte-sacs
- arbre
- meule
- gouvernail

montée sur un axe vertical et dont la vitesse de rotation est fonction de celle du vent. Des observateurs expérimentés peuvent ainsi estimer la vitesse du vent sans l'aide d'instruments. Les estimations sont évaluées selon l'échelle Beaufort qui s'étend de la force 0 (calme) à la force 12 (ouragan).

La puissance éolienne est fonction du cube de la vitesse du vent (v^3). Il en résulte que de faibles fluctuations de cette vitesse entraînent de fortes variations de la puissance disponible. Une diminution de 20 % de la vitesse du vent, par exemple, se traduit par une baisse de presque 50 % de la puissance fournie. Des vents légers sont en général insuffisants pour la plupart des éoliennes. Par contre, quand leur vitesse est supérieure à 30 mètres par seconde (m/s), ils peuvent causer des dommages.

◄ *Les moulins à vent ont été probablement utilisés d'abord en Perse, vers le VIIe siècle avant J.-C., pour la mouture du grain ou le pompage de l'eau.*

◄ Poussés par les vents, les grands bateaux peuvent parcourir de longues distances à une grande vitesse. Il se pourrait bien que l'on utilise à nouveau ces cargos pour le commerce.

sance prévue était de 1,25 MW pour un vent de 13 m/s. Cette installation n'a fonctionné que 23 jours et a été définitivement abandonnée après rupture d'une des pales.

Bien que de petites éoliennes aient fonctionné avec succès pendant des siècles, les expériences actuelles montrent que les difficultés techniques liées à la réalisation d'appareillages de très grande taille ne sont pas encore résolues.

Demain

Les sites les plus appropriés se trouvent soit en pleine mer, soit dans les régions montagneuses. Par conséquent, la plupart des pays ont de grandes possibilités de développement d'installations puissantes. Les principaux obstacles sont notamment les coûts de construction, l'irrégularité de la production due aux conditions atmosphériques, et les problèmes de transport de l'électricité du site (pleine mer) au lieu d'utilisation.

Les types d'éoliennes

Il y a deux types d'éoliennes : l'un à axe vertical, l'autre à axe horizontal. Les éoliennes à axe vertical tournent comme des girouettes et peuvent donc être mises en mouvement par des vents de n'importe quelle direction.

Cependant, leur rendement est faible, aussi sont-elles moins utilisées que les machines traditionnelles à axe horizontal. Celles-ci peuvent comporter un nombre indifférent de pales, mais les recherches ont montré que le modèle à deux pales est le plus efficace.

Plus la longueur des pales est grande, plus l'énergie disponible est élevée. L'éolienne la plus puissante a été construite dans l'état du Vermont (Etats-Unis) pendant la deuxième Guerre mondiale. Avec un diamètre de pales de 53 m, sa puis-

L'installation de chauffage et d'éclairage de cette maison combine l'énergie fournie par une éolienne à trois pales et celle qui provient de capteurs solaires. ▶

La chaleur de la Terre

La spectaculaire libération d'énergie que constitue un volcan en éruption est une preuve manifeste de l'existence de l'énorme quantité d'énergie emmagasinée sous nos pieds.

La géologie souterraine

30 à 40 kilomètres de roches solides nous séparent d'une couche de roches en fusion : le magma. L'épaisseur de ce magma est évaluée à 2 900 km. Il est trop profond, sa température est trop élevée et il est trop dangereusement volatile pour être utilisé directement comme source d'énergie. Cependant, une partie de sa chaleur se propage lentement vers la croûte terrestre. Occasionnellement, pour des raisons d'origine géologique, des poches d'eau se forment dans des roches poreuses à des profondeurs de quelques kilomètres. Les eaux absorbent la majeure partie de la chaleur propagée et forment ainsi des réservoirs de fluides chauds. Les geysers et les sources chaudes appa-

Cette coupe de la terre montre comment la variation de température s'accroît quand on se rapproche du noyau en fusion.
▼

▲
Centrale électrique géothermique située à El Salvador.

raissent là où des failles naturelles permettent à certains de ces fluides de s'échapper vers la surface.

L'utilisation de l'énergie géothermique

Cette utilisation remonte au moins à l'époque des bains romains,

mais il a fallu attendre le XXᵉ siècle pour que l'énergie géothermique soit exploitée à grande échelle.

L'Islande a été la première à exploiter ses volcans, geysers et sources chaudes. Sa capitale, Reykjavik, est entièrement chauffée par ces moyens. Il est cependant difficile et onéreux d'éviter les pertes de chaleur dans les tuyaux d'eau chaude qui transportent l'énergie du site générateur au site utilisateur. C'est pour ces raisons que le chauffage géothermique n'est pas possible à distance des sources. Les Français ont aussi la chance d'avoir de nombreux sites à proximité de centres peuplés ; ils espèrent arriver en 1990 à alimenter près de 500 000 habitations.

La production d'électricité

L'électricté géothermique est née en 1904 quand en Italie, le prince P. Conti construisit le premier alternateur entraîné par une machine à vapeur alimentée en vapeur naturelle.

La mise en mouvement des turbines nécessite de la vapeur et des fluides géothermiques à hautes pressions. En forant des puits de

Les rivières de lave bouillante qui ▶ dévalent les pentes de l'Etna sont issues des profondeurs terrestres. Ces éruptions sont un témoignage spectaculaire de l'activité volcanique souterraine.

| couches superficielles 0-1 000 °C | manteau supérieur 1 000 - 2 000 °C | manteau inférieur 2 000 - 4 500 °C | cœur 4 500 °C |

kilomètres

4 700

2 900

600

40

0

Géologie d'un geyser. Les geysers sont dus au réchauffement de l'eau située en profondeur de la croûte terrestre. La vapeur, formée aux hautes température et pression qui règnent à ces profondeurs, chasse l'eau vers la surface. ▶

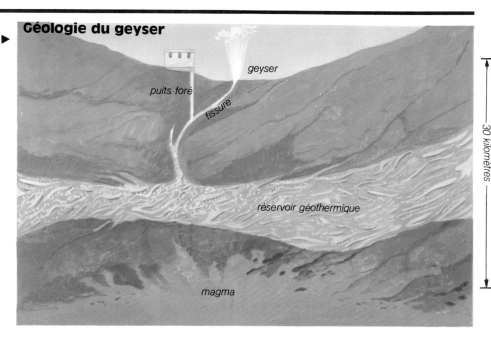

Géologie du geyser

puits foré

geyser

fissure

réservoir géothermique

magma

30 kilomètres

plusieurs kilomètres de profondeur, il est possible d'atteindre les réservoirs souterrains naturels d'eau et de vapeur à haute pression. La vapeur s'échappe alors vers la surface où elle est utilisée pour actionner les turbines.

Bien que la réalisation de centrales géothermiques soit très onéreuse, elles produiront dans l'avenir des quantités constantes d'électricité, pendant de nombreuses années. Il existe déjà aux Etats-Unis, en Nouvelle-Zélande et au Japon des centrales géothermiques connectées aux réseaux nationaux.

L'avenir

Certains pays dépourvus de ces poches souterraines envisagent de forer, dans des roches poreuses, des puits par couples. L'eau froide injec-

tée dans l'un des puits et réchauffée par la roche sera pompée sous forme de vapeur à travers le second puits.

Comme la chaleur se propage très lentement à partir du centre de la terre, l'énergie extraite des réser-

voirs n'est pas immédiatement remplacée. L'énergie géothermique ne se renouvelle pas sur la durée d'une vie humaine, mais sur des périodes plus longues. Cependant, la source elle-même produit une énergie à peu près constante.

Les convertisseurs d'énergie

Générateur

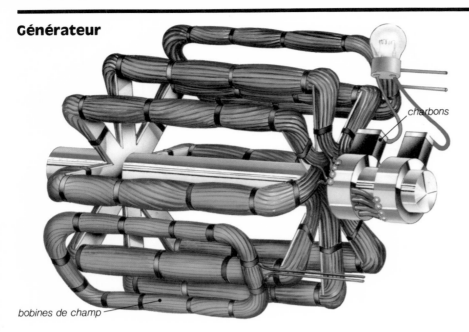

charbons

bobines de champ

◄ *Voici un générateur électrique qui transforme l'énergie mécanique en énergie électrique. Un courant électrique est créé dans une bobine quand elle se déplace dans un champ magnétique.*

Le générateur

Toutes les formes d'énergie peuvent en fin de compte être transformées les unes en les autres. Cette interchangeabilité est la propriété la plus importante de l'énergie.

En fait, l'homme essaie constamment de reproduire les processus naturels nombreux et variés de transformation. Les plantes absorbent la lumière et la transforment en réserve d'énergie chimique. Elles sont ensuite mangées par les animaux. La longue chaîne de transformations qui commence là est, par essence, le processus de la vie elle-même.

En utilisant un ou plusieurs convertisseurs, il est possible de réaliser pratiquement toute transformation désirée. Par exemple, une centrale hydroélectrique opère de la façon suivante : l'énergie potentielle de l'eau retenue est transformée en énergie cinétique de l'eau courante ; les turbines de l'usine en font de l'énergie mécanique que les générateurs convertissent, enfin, en électricité.

Le rendement

Le rapport de l'énergie finalement disponible à celle qui a été fournie à l'origine représente le *rendement* de la conversion. Une dynamo dont le rendement serait de 80 %, ne transformerait que 80 des 100 joules d'énergie originelle. La plupart des 20 joules restants sont perdus en chaleur, encore qu'il puisse y avoir production d'énergie sonique et mécanique. En fait, un tel rendement serait une merveille. Dans la mesure où les convertisseurs produisent toujours quelque forme d'énergie parasite, il n'est pas de système dont le rendement soit 100 %.

Toute réduction de l'énergie parasite produite par un convertisseur se traduit par une amélioration de son rendement. Le skieur qui farte soigneusement ses skis et qui s'accroupit pendant la descente essaie d'améliorer le pourcentage d'énergie potentielle qui sera transformée en énergie cinétique. Un tube fluorescent est trois fois plus efficace qu'une lampe électrique parce que son fonctionnement repose sur un type différent de conversion d'énergie électrique en lumière : la transformation en lumière visible du rayonnement ultraviolet produit dans le tube.

On peut installer des systèmes de récupération là où les installations produisent inévitablement de grandes quantités de chaleur parasite. Aujourd'hui quelques centrales utilisent la chaleur produite par leurs générateurs pour chauffer les immeubles voisins.

Escalier mécanique

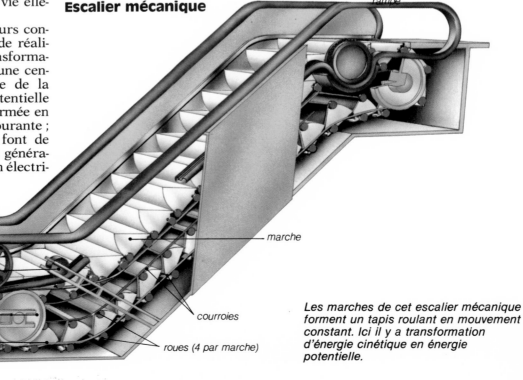

rampe

poulie de retour

poulie de guidage

roue de retour

marche en train de retourner

marche

courroies

roues (4 par marche)

Les marches de cet escalier mécanique forment un tapis roulant en mouvement constant. Ici il y a transformation d'énergie cinétique en énergie potentielle.

Moteur à 4 temps

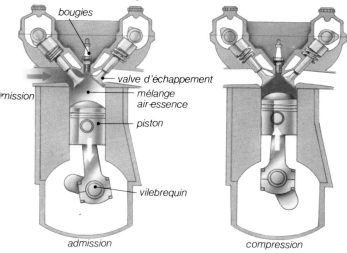

bougies

valve d'échappement

mélange air-essence

piston

mission

vilebrequin

admission

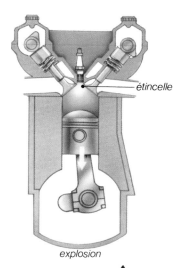

compression

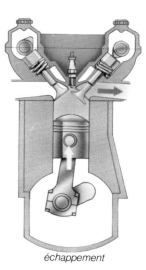

étincelle

explosion

échappement

L'accumulateur est l'un des rares appareils capables d'emmagasiner de l'énergie électrique. Les réactions chimiques entre les plaques et l'acide sulfurique emmagasinent l'énergie nécessaire au passage du courant à travers un circuit. ▼

Accumulateur

borne négative

borne positive

lame de jonction

séparateur d'éléments

plaques de plomb

Le frottement

Le frottement est une force qui agit entre deux surfaces en contact quand l'une est en mouvement par rapport à l'autre. Le frottement de l'air sur un objet s'oppose au mouvement de l'objet. Quand un objet doit vaincre des frottements, une partie de son énergie cinétique est transformée en chaleur. C'est l'origine de la chaleur créée par tous les convertisseurs d'énergie.

▲
Les 4 temps du moteur à combustion. L'essence est aspirée par la valve d'admission (admission), comprimée par le piston (compression), allumée par la bougie (explosion), puis expulsée par la valve d'échappement (échappement). L'énergie est produite au moment de l'explosion qui transforme l'énergie chimique en énergie mécanique.

▲ Le lancement d'Apollo 15 est un exemple de transformation de l'énergie chimique du combustible de la fusée en énergie cinétique.

Le moteur de l'aspirateur transforme l'énergie électrique en énergie ◀ mécanique.

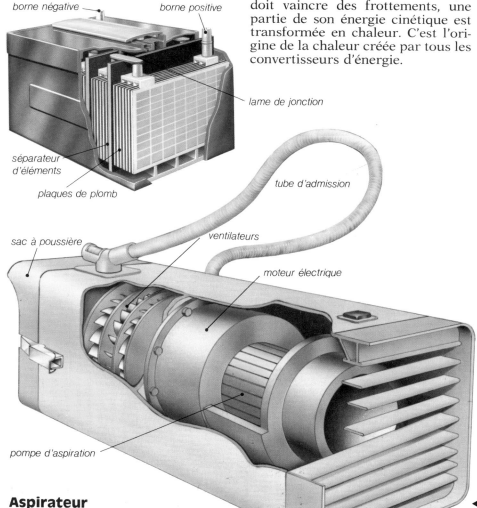

tube d'admission

sac à poussière

ventilateurs

moteur électrique

pompe d'aspiration

Aspirateur

17

L'énergie et la vie

L'énergie dans la nourriture

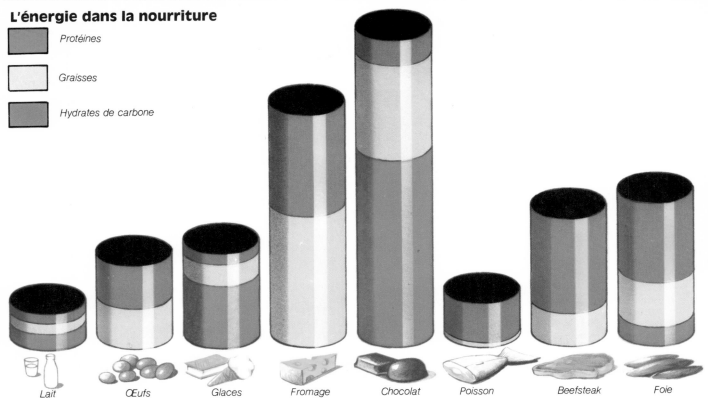

	Protéines
	Graisses
	Hydrates de carbone

Lait   Œufs   Glaces   Fromage   Chocolat   Poisson   Beefsteak   Foie

(100 grammes de nourriture crue)

Un scientifique observant une luciole ne s'émerveillera pas seulement de sa beauté, mais pourra aussi essayer de comprendre le processus qui permet à cet insecte minuscule de produire autant d'énergie lumineuse. La transformation de la nourriture en énergie, même en énergie lumineuse, se fait dans les cellules microscopiques du corps de tous les êtres vivants.

L'énergie et l'homme

L'énergie libérée par une quantité donnée de nourriture se mesure en kilojoules (kJ). De nombreux diététiciens continuent à utiliser une unité abandonnée maintenant, la calorie, qui est équivalente à 4,2kJ (4 200 joules).

L'énergie nécessaire quotidiennement à un homme modérément actif est de l'ordre de 12 000 à 12 500 kJ, à une femme de 9 000 à 9 500 kJ. Un adolescent requiert 11 500 à 12 000 kJ, une adolescente 9 500 à 10 000 kJ et un enfant de 2 ans, 5 000 kJ environ.

La plupart de nos aliments sont un mélange complexe d'hydrates de carbone, de graisses, de protéines, de minéraux, de vitamines, et bien sûr, d'eau.

Les hydrates de carbone, tels que

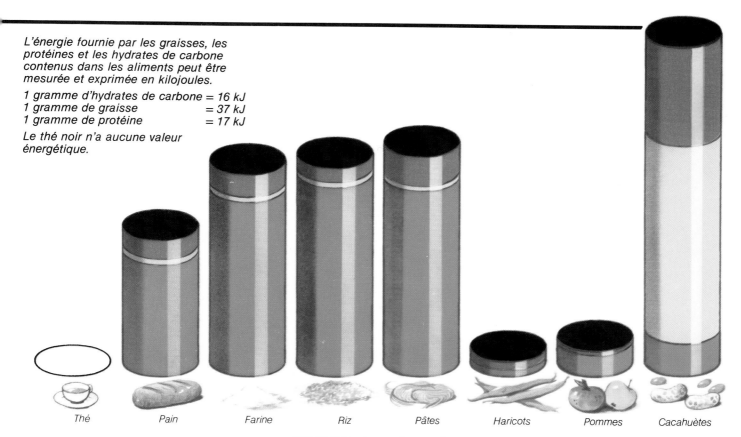

L'énergie fournie par les graisses, les protéines et les hydrates de carbone contenus dans les aliments peut être mesurée et exprimée en kilojoules.

1 gramme d'hydrates de carbone = 16 kJ
1 gramme de graisse   = 37 kJ
1 gramme de protéine   = 17 kJ

Le thé noir n'a aucune valeur énergétique.

Thé   Pain   Farine   Riz   Pâtes   Haricots   Pommes   Cacahuètes

(100 grammes de nourriture crue)

le sucre ou l'amidon, sont les sources principales d'énergie pour notre corps. Les aliments sucrés comprennent le chocolat, les fruits et les sucreries ; tandis que le pain, les pommes de terre, les pâtes contiennent beaucoup d'amidon. Beaucoup de gens mangent plus d'hydrates de carbone qu'il n'est nécessaire et ceux-ci sont transformés en graisse par le corps. Bien qu'un gramme de graisse contienne le double d'énergie potentielle qu'un gramme d'hydrate de carbone, son assimilation est beaucoup plus longue. Pour entraîner le corps à utiliser les excès de graisse, les diététiciens recommandent la consommation d'aliments pauvres en hydrates de carbone.

La respiration

La respiration est un des phénomènes fondamentaux de la vie. Elle est le fait d'un organisme qui assimile l'oxygène de son environnement. Cet oxygène est utilisé à la combustion des aliments pour libérer l'énergie qu'ils contiennent.

L'athlète kénian Henry Rono à l'entraînement. Le médecin étudie avec un spiromètre les gaz inspirés et expirés par le sujet lorsqu'il court.

Dans nos poumons, l'oxygène se combine à l'hémoglobine des globules rouges du sang pour donner l'oxyhémoglobine.

Un cœur puissant assure ensuite l'alimentation continue des muscles en globules rouges riches en oxygène. Dans les muscles, une réaction libératoire d'énergie se produit alors entre l'oxygène et les aliments digérés. Le dioxyde de carbone, formé au cours de cette réaction, est transporté par le sang jusqu'à nos poumons, et ensuite rejeté.

Le manque d'oxygène

La grande quantité d'énergie nécessaire à un sportif pour faire un 100 mètres ou lancer le disque peut produire une réaction différente. Les muscles ne sont plus suffisamment approvisionnés en oxygène. Le manque d'oxygène se traduit par une dégradation incomplète des aliments digérés, dont le produit final est alors l'acide lactique. Une libération d'acide lactique dans les muscles empêche leur bon fonctionnement, et la fatigue apparaît.

Le sang circule partout dans le corps. Le sang riche en oxygène est représenté en rouge, le sang chargé en dioxyde de carbone en bleu.

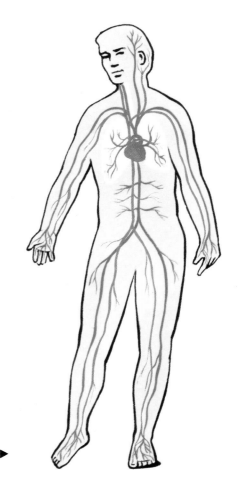

Les plantes et l'énergie

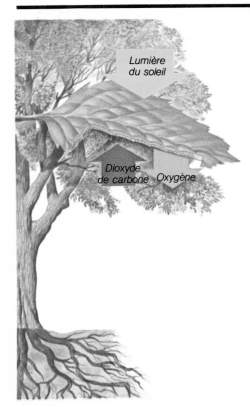

Lumière du soleil

Dioxyde de carbone   Oxygène

La photosynthèse

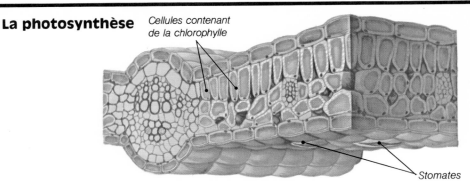

Cellules contenant de la chlorophylle

Stomates

Les plantes vertes peuvent fabriquer des aliments à partir du dioxyde de carbone et d'eau. L'énergie nécessaire à cette fabrication provient de la lumière solaire absorbée par la chlorophylle présente dans les feuilles. Le dioxyde de carbone est absorbé par les pores, ou stomates, de la feuille, l'eau par les racines. Le processus donne de l'oxygène, qui est rejeté par les stomates, et du sucre emmagasiné sous forme d'amidon.

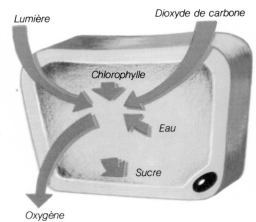

Lumière   Dioxyde de carbone

Chlorophylle

Eau

Sucre

Oxygène

Des indigènes du bassin de l'Amazone utilisant pour se chauffer le plus ancien combustible biologique connu : le bois.
▼

L'herbe est mangée par une antilope qui à son tour est dévorée par un lion. Cette suite d'événements constitue une chaîne alimentaire. Chaque organisme vivant appartient à une ou plusieurs chaînes alimentaires et chacune d'entre elles commence par une plante. On les appelle aussi chaînes énergétiques parce que c'est à travers leurs divers maillons que les animaux trouvent leur énergie.

La place de l'Homme dans la nature peut être décrite par une chaîne alimentaire simple : herbe— bétail— Homme. Une telle chaîne ignore cependant les nombreux produits qui constituent l'alimentation quotidienne de l'homme. Pour décrire complètement les habitudes alimentaires d'une communauté, il faut utiliser un diagramme plus complexe : la pyramide alimentaire.

La photosynthèse

Les plantes vertes sont des convertisseurs d'énergie solaire en énergie potentielle chimique. La majeure partie de cette énergie est contenue dans un groupe de composés appelés hydrates de carbone, et la réaction qui les produit est la *photosynthèse*. Elle permet la combinai-

On présente souvent les chaînes alimentaires sous forme d'une pyramide dont la base est constituée par les plantes, le premier niveau par les herbivores, et les niveaux suivants par des carnivores de premier et de second ordre.

Pyramide alimentaire

▼

son du dioxyde de carbone absorbé par les feuilles avec l'eau absorbée par les racines. Les animaux absorbent cette énergie quand ils mangent les plantes ; la photosynthèse est par conséquent fondamentale à toute vie.

La chlorophylle est le produit chimique qui donne aux plantes leur couleur verte. Seules les plantes qui contiennent de la chlorophylle peuvent être le siège de la photosynthèse. Cette réaction produit de très grandes quantités de substances organiques : 225 000 millions de tonnes par an environ, dont plus de 75 % sont l'œuvre de minuscules plantes maritimes (le phytoplancton).

La biomasse et les combustibles biologiques

Les matériaux qui sont, ou ont été récemment des plantes peuvent souvent être transformés en combustibles. Ils constituent la biomasse et donnent des combustibles biologiques. Le bois est celui qui a été utilisé le premier et le plus largement. La combustion est le processus qui transforme l'énergie du bois en chaleur et lumière. Le bois, cependant, est une source rare qui met des années pour venir à maturité. L'uti-

▲
Le sucre le plus généralement utilisé dans l'alimentation est le saccharose extrait de la canne à sucre. Sa sève contient 10 à 20 % de sucre. (Notre photo : l'Ile Maurice).

lisation intensive des forêts est donc une solution à court terme des problèmes énergétiques de l'humanité. Le reboisement est une nécessité prioritaire.

La plupart des autres formes de biomasse contiennent beaucoup d'humidité. Elles ne sont donc pas de bons combustibles. L'utilisation de ces matériaux nécessiterait autant d'énergie pour leur séchage qu'ils n'en libéreraient ensuite par combustion. Les déchets agricoles, forestiers et domestiques constituent cependant une biomasse humide qui peut être transformée en de nombreux combustibles de haute qualité.

Des procédés biologiques sont d'ores et déjà utilisés dans les usines de traitement d'ordures et dans les fermes pour transformer en méthane les déchets domestiques et agricoles. Le méthane est le constituant essentiel du gaz naturel. Cette méthode pourrait bien être utilisée dans un futur proche pour la production de grandes quantités de cet important combustible.

La prospection du pétrole

Relevé de radioactivité

Relevé sismographique

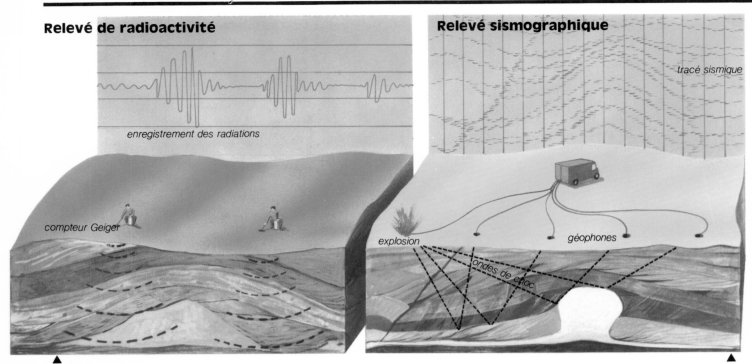

tracé sismique

enregistrement des radiations

compteur Geiger

explosion

géophones

ondes de choc

▲

Les roches riches en Uranium sont radioactives. Les gisements sont prospectés à l'aide de détecteurs de radiations tels que le compteur Geiger.

Puits de pétrole et coupe du sous-sol foré. Le forage va atteindre un gisement de gaz et de pétrole, probablement sous haute pression. Une boue chimique lubrifiante est injectée jusqu'à la tête de forage, le trépan, pendant l'opération et revient par pompage le long du tubage. Il arrive que l'on utilise plusieurs jeux de trépans en diamant si les roches sont particulièrement dures.

▼

Un relevé sismique est fondé sur la réflexion des ondes de choc d'une explosion. Les détecteurs sont appelés géophones.

La seule façon sûre de déterminer si un sous-sol recèle des gisements de pétrole est de forer un puits. Dans les premiers temps du « boom » pétrolier américain, les prospecteurs prenaient des risques en forant des puits qui n'avaient que peu de chances d'être productifs. Aujourd'hui, avant de commencer des forages, on réalise toujours une prospection géologique complète du terrain.

Les méthodes de détection

Découvrir ce que recèle le sous-sol, c'est un peu comme essayer de deviner le contenu d'un paquet sans le défaire. On peut considérer ses dimensions, le soupeser, le secouer... Les géologues utilisent des méthodes un peu plus scientifiques pour déterminer ce qui gît sous nos pieds.

Un *relevé géologique* commence par l'établissement précis d'une carte par photographie aérienne du terrain. De cette carte, un géologue peut souvent tirer un bon nombre d'informations sur les formations rocheuses du sous-sol. En ramassant des fossiles et des échantillons de pierres, il peut ensuite déterminer l'âge et la nature des roches.

Dans une opération de *relevé*

Un puits de pétrole

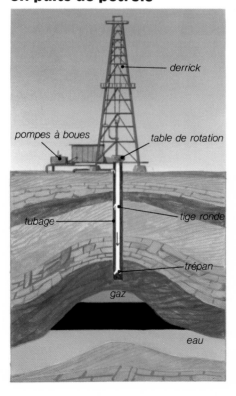

derrick

pompes à boues

table de rotation

tubage

tige ronde

trépan

gaz

eau

géophysique, les instruments modernes de mesure fournissent des informations précises sur les propriétés physiques du sous-sol. Le géologue utilise les données recueillies pour identifier les couches rocheuses.

Les *méthodes sismiques* sont utilisées en prospection pétrolière pour, à la fois détecter la présence de poches de pétrole, et estimer l'épaisseur des roches poreuses qui entourent le gisement. Les ondes de choc émises au cours d'explosions contrôlées se propagent dans la croûte terrestre et leurs réflexions sont enregistrées par des détecteurs appelés géophones. Le temps qui s'écoule entre l'émission et la détection donne des informations sur la nature des terrains traversés au cours de la propagation des ondes.

Pour la prospection des roches radioactives, tel l'uranium, des appareils modernes montés sur avions ont remplacé les classiques compteurs Geiger actionnés manuellement.

Les *relevés géochimiques* s'appuient sur l'analyse d'échantillons de sols, de plantes et d'eaux dans l'espoir de détecter de petites quantités d'éléments associés à des minerais particuliers. Une concentration anormale de radon (gaz

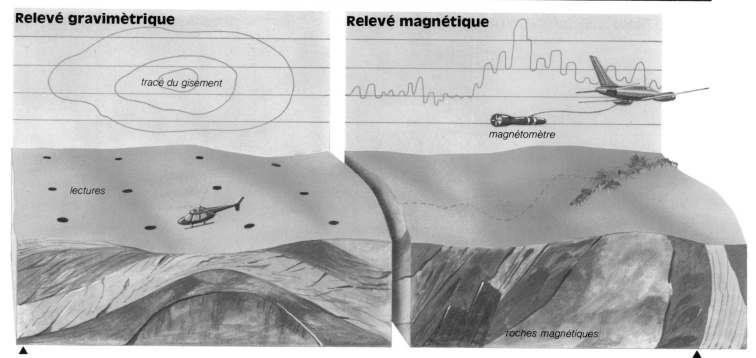

Relevé gravimètrique

tracé du gisement

lectures

Relevé magnétique

magnétomètre

roches magnétiques

▲

Un relevé gravimétrique évalue la valeur de l'attraction terrestre. Ici les mesures indiquent la présence d'un anticlinal.

Les roches gorgées de pétrole sont faites de particules séparées par des espaces. Plus ces pores sont petits, plus la fraction de pétrole récupérable est faible.

▼

▲

Le magnétomètre monté à bord d'un avion détecte de légères variations du magnétisme terrestre. Les roches volcaniques sont plus magnétiques que les roches sédimentaires.

radioactif formé à partir du radium) indique souvent un gisement de minerai d'uranium.

Les formations rocheuses

Le pétrole et le gaz naturel tendent à remonter vers la surface en empruntant les pores des roches accumulées sur le gisement, jusqu'à ce qu'ils se heurtent à une barrière de roches imperméables. Le piège est complet lorsque des formations rocheuses stoppent de tous côtés cette progression. Les gisements de pétrole et de gaz naturel se trouvent pour la plupart dans des roches sédimentaires telles que le calcaire et le grès.

Les compagnies pétrolières s'appuient sur les méthodes géophysiques pour chercher les formations rocheuses susceptibles de piéger le pétrole et le gaz naturel. Les pièges les plus courants, dislocations, anticlinaux, dômes de sels, entraînent des variations des propriétés magnétiques et gravitationnelles du sol. Il est souvent possible de détecter ces pièges avec un magnétomètre monté sur un avion. Des dômes de sels voisins de la surface, entraînent une légère réduction de l'attraction terrestre détectable par un gravimètre très sensible.

Géologie du pétrole et du gaz naturel

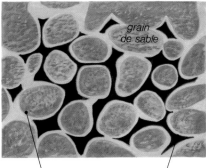

grain de sable

couche d'eau   *pétrole ou gaz*

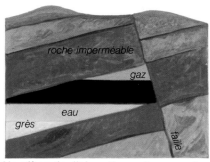

roche imperméable

gaz

eau

grès

faille

Un piège de dislocation est une poche qui se forme quand il y a rupture des veines rocheuses à la suite de mouvements de la croûte terrestre.

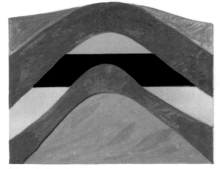

L'anticlinal est le type de gisement le plus courant dû à un plissement des veines rocheuses qui forment alors un dôme.

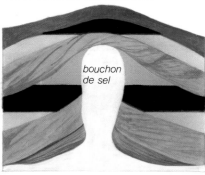

bouchon de sel

Les dômes de sel sont des formations repoussées des profondeurs et qui déforment les veines rocheuses en formant des dômes.

Le charbon et la tourbe

Coupe d'une mine de charbon

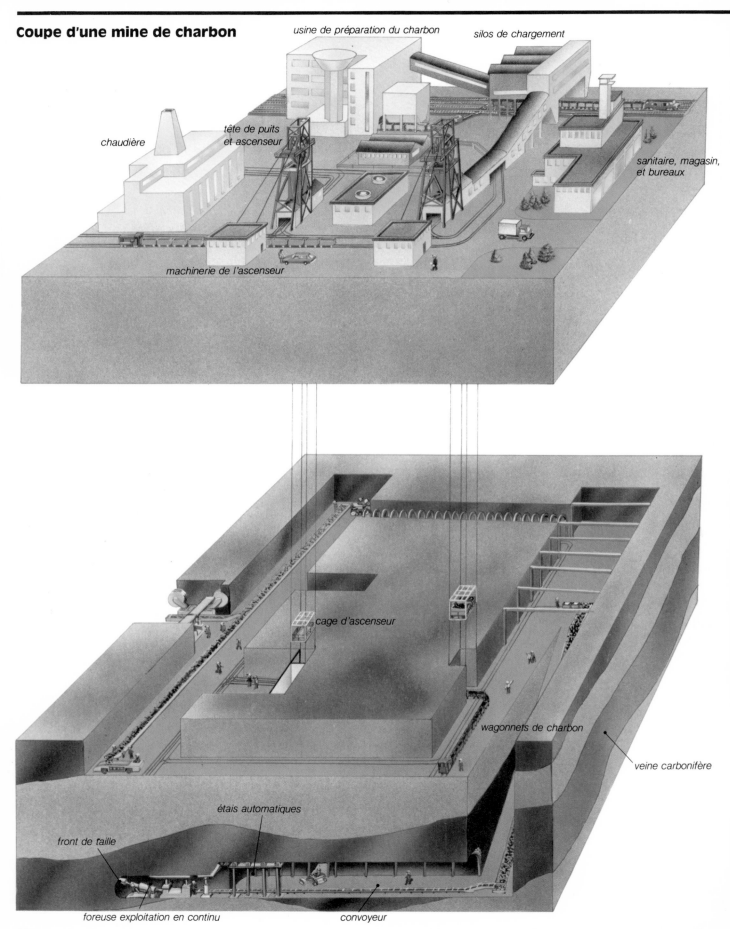

usine de préparation du charbon

silos de chargement

tête de puits et ascenseur

chaudière

sanitaire, magasin, et bureaux

machinerie de l'ascenseur

cage d'ascenseur

wagonnets de charbon

veine carbonifère

étais automatiques

front de taille

foreuse exploitation en continu

convoyeur

24

L'histoire du charbon commence à l'ère carbonifère, quelque 300 millions d'années avant l'apparition de l'homme. A cette époque, la terre était couverte de forêts denses, de marais, de rivières et de végétation luxuriante. Une couche épaisse de résidus végétaux s'est formée progressivement, a pourri, puis a été submergée par les eaux des marécages. Le manque d'oxygène a empêché la décomposition totale de ces résidus par les bactéries. Puis au cours de millions d'années, d'énormes quantités de roches ont comprimé cette végétation morte.

Soumise à des élévations de température et de pression, cette végétation morte s'est transformée en tourbe, puis en lignite. Le lignite est d'abord devenu du charbon bitumineux, avant que ne se forme enfin l'anthracite, riche en énergie. En général, plus les températures et pressions ont été élevées, plus le charbon obtenu est riche en carbone pur. La richesse en carbone de la tourbe est environ de 60 %, et sa valeur énergétique supérieure à 14 MJ par kg; par contre, les valeurs correspondantes pour l'anthracite sont de 94 %, et plus de 30 MJ par kg.

L'extraction du charbon

Il y a deux types de mines : celles à ciel ouvert, et les souterraines. L'extraction à ciel ouvert est possible lorsque le gisement affleure : il suffit alors de déblayer le terrain pour accéder aux veines. Quand celles-ci sont profondes, il faut creuser des puits. Les mineurs peuvent aujourd'hui utiliser de nombreuses machines pour effectuer leur difficile travail. Des foreuses géantes, les abatteuses, creusent le front de taille et rejettent des tonnes de

Sous-produits du goudron de houille

savons et détergents

linoleum

parfums

électrolyte pour accumulateurs

engrais

encre

peinture

colles

matières plastiques

nylon

▲ Ensemble de sous-produits du goudron de houille. Cette industrie, autrefois florissante, a été supplantée par l'utilisation du pétrole comme matière première.

minerai sur des convoyeurs. A mesure que les abatteuses avancent, la galerie est supportée par des étais hydrauliques qui s'ajustent automatiquement à la charge qu'ils subissent.

Les sous-produits du charbon

Au cours des dernières années, le pétrole et le gaz naturel ont, en grande partie, remplacé le charbon sur le marché de l'énergie. De nombreux sous-produits sont aujourd'hui dérivés du pétrole. Il est probable que d'ici l'an 2000, cette tendance sera renversée, car on convertit de plus en plus de charbon en divers combustibles. Les Etats-Unis et la Grande-Bretagne développent en commun un procédé de transformation du charbon en combustible liquide et en gaz naturel.

Les réserves mondiales

Les estimations des réserves mondiales de charbon varient considérablement. A mesure que le prix des combustibles augmente, des sites miniers deviennent rentables, alors qu'ils ne l'étaient pas auparavant, parce que trop difficiles à exploiter. On pense que les Etats-Unis possèdent 31 % des réserves mondiales, estimées à 652 milliards de tonnes. Les réserves de l'U.R.S.S. sont estimées à 23 %, celles de l'Europe de l'Ouest à 18 %, celles de la Chine à environ 14 %.

◄ Coupe d'une mine de charbon moderne. A la surface sont situés les bâtiments où le charbon est lavé, trié. Les mineurs descendent par une cage, le minerai est remonté par l'autre. En bas du dessin, on peut voir une abatteuse géante en action sur le front de coupe. Derrière la machine, un convoyeur automatique transporte le charbon jusqu'à un niveau supérieur, et des étais automatiques qui supportent le toit de la galerie.

Séchage de la tourbe dans les Hébrides. Ce combustible traditionnel est une des principales sources d'énergie de l'Irlande pour l'industrie. ▶

Le pétrole

La moitié à peu près de l'énergie dépensée aujourd'hui dans le monde est d'origine pétrolière.

Ce réservoir moderne d'énergie chimique a été formé il y a des millions d'années par les restes de petites créatures marines qui forment le plancton. A mesure que le plancton mourait, ses restes formaient un épais tapis de matières organiques au fond des mers. Les bactéries se nourrissant de ces restes ont alors commencé leur transformation en pétrole et en gaz naturel. La chaleur et la pression des roches qui les ont recouverts ont fait le reste au cours de millions d'années.

Le forage

Après avoir effectué une série de relevés, on fore un puits d'essai. Ce forage est effectué par un trépan dont la rotation au fond du puits est assurée par des tiges creuses vissées les unes aux autres. A mesure que le trépan s'enfonce, on ajoute de nouvelles tiges. Pour refroidir le trépan, on injecte dans les tiges un mélange d'eau, d'argile et produits chimiques. En remontant par l'espace situé entre les tiges et les parois du puits, cette boue évacue les déblais.

Quand le forage atteint un gisement, il arrive que le pétrole sous pression jaillisse comme une fontaine. Pour limiter ce jaillissement, on place sur le sommet du puits un *arbre de Noël* : c'est un ensemble de valves destinées à contrôler le débit.

Le raffinage du pétrole

La raffinerie est une installation industrielle complexe où le pétrole brut est distillé, "cassé", recombiné pour donner six principaux types de combustibles. La distillation fractionnée, qui s'effectue dans des colonnes, permet de séparer les corps d'après leur température d'ébullition. Les gaz, butane et propane, produits à faible température d'ébullition, sont recueillis en tête de la colonne. Les produits à haut point d'ébullition, mazout et bitumes, demeurent à la base.

Le pétrole brut est d'abord porté à sa température d'ébullition (400°C), puis injecté au bas de la tour de distillation. Les plateaux et les têtes de condensation empêchent la circulation trop rapide des vapeurs de pétrole. Dès qu'une fraction gazeuse atteint un plateau qui est à sa température d'ébullition, il se condense et est soutiré. ▶

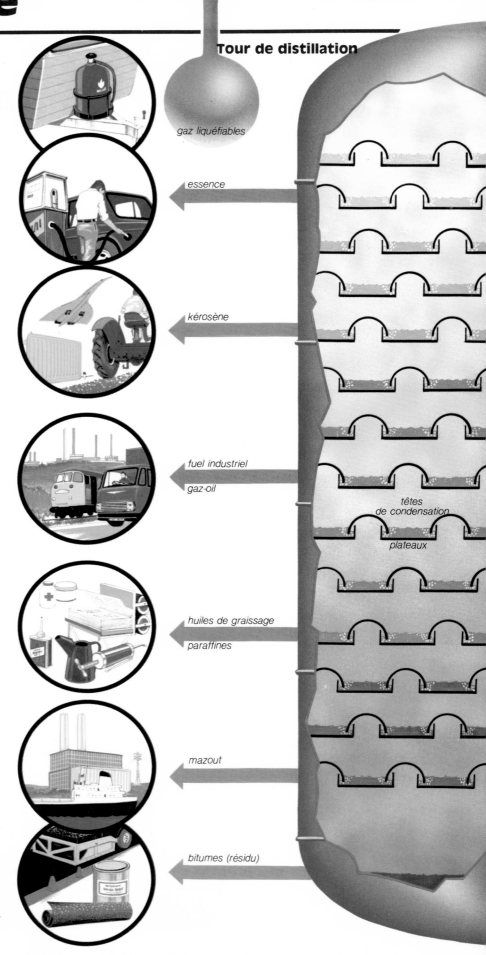

Tour de distillation

gaz liquéfiables

essence

kérosène

fuel industriel

gaz-oil

têtes de condensation

plateaux

huiles de graissage

paraffines

mazout

bitumes (résidu)

pétrole brut chauffé

Ce procédé ne fournit pas assez de produits légers. Aussi, on réchauffe les produits lourds sous pression (opération de craquage), pour les transformer en produits légers.

Les sous-produits du pétrole

Les principaux produits raffinés sont les bitumes, le mazout, les cires, les paraffines, les huiles de graissage, le gaz-oil, le kérosène, l'essence automobile et les gaz liquéfiables.

Le bitume est une substance imperméable et solide à température normale, ce qui permet de l'utiliser au revêtement des routes. Les cires et les paraffines servent à la fabrication des bougies, des cartons imperméables, des isolants électriques, des vernis...

Le gaz-oil est utilisé dans les moteurs Diesel, le kérosène alimente les réacteurs d'avion, et l'essence est employée comme carburant pour différents moteurs. Les gaz liquéfiables comme le butane, généralement livrés en bouteilles, servent à des usages domestiques.

Les réserves mondiales

A peu près 55 % des réserves mondiales de pétrole sont localisées au Moyen-Orient dans un croissant qui va de l'Afrique du Nord à l'Iran.

La diminution des ressources peut, à l'avenir, rendre rentable l'extraction du pétrole par des méthodes plus onéreuses. 80 % du pétrole que contient un gisement demeurent souvent piégés dans les roches poreuses parce que la pression du gaz naturel qui l'accompagne devient insuffisante pour l'éjecter vers la surface. En mer du Nord, une injection d'eau sous pression et une réinjection de gaz naturel ont permis d'extraire jusqu'à 45 % des réserves estimées.

Les schistes et sables bitumineux contiennent du pétrole lourd qui ne peut être exploité par les méthodes classiques : il faut extraire ces schistes puis les chauffer pour récupérer le pétrole. Bien qu'une tonne de schiste ne donne qu'un baril de pétrole, l'exploitation de ces sources permettrait de doubler les réserves mondiales connues.

Voici l'une des rares réserves naturelles de bitume. Ce lac, situé à l'Ile de la Trinité (près de Venezuela), a fourni plus de 15 millions de tonnes de revêtement de routes.
▼

Le gaz

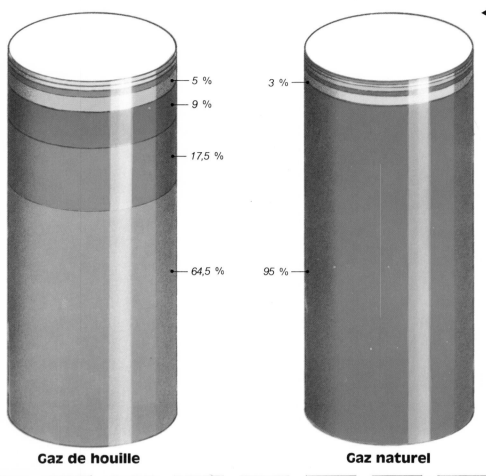

▶ *On trouve généralement du gaz naturel dans les gisements de pétrole. On obtient également du gaz à partir du charbon. Le gaz naturel ne contient pas le poison qu'est l'oxyde de carbone ; il est presque entièrement constitué de méthane.*

Il est difficile de croire qu'un métal puisse passer à l'état gazeux, mais toute substance peut se trouver à l'état solide, liquide ou gazeux selon les conditions de température et de pression. Sous pression atmosphérique normale, le fer est gazeux à 2 800 °C, et l'oxygène solide à − 219 °C. De nombreux combustibles sont gazeux à température et pression normales.

Le gaz naturel

Ce terme désigne les divers mélanges de gaz combustibles qui sont piégés dans les roches souterraines. Son histoire est ancienne et pleine d'anecdotes. Déjà, au IIIe siècle avant J.-C., on rapporte que les Chinois utilisaient le gaz naturel comme source d'énergie pour leur industrie du sel. Aujourd'hui, de vastes stations de forage travaillent jour et nuit pour atteindre des gisements situés jusqu'à 3 000 m de profondeur.

Le gaz naturel est essentiellement constitué de méthane. Il brûle avec une flamme claire et n'est pas un poison. Des pays fortement exportateurs tels que l'Algérie possèdent des usines de liquéfaction avant transport. Le gaz naturel liquéfié est alors transporté par les méthaniers réfrigérés.

Les plus grandes réserves découvertes sont situées en Iran, en U.R.S.S. et en Amérique du Nord. En 1959, la découverte de grandes quantités de gaz naturel au nord-est de la Hollande a entraîné une vaste prospection en mer du Nord. En Grande-Bretagne, la grande majorité des consommateurs est alimentée en gaz naturel par un réseau de distribution directement relié, par un pipe-line sous-marin, aux lieux de production de la mer du Nord. Mais aujourd'hui encore, de nombreuses compagnies pétrolières continuent à

*Le **Méthania** transporte du gaz naturel liquéfié. Celui-ci est contenu dans des réservoirs réfrigérés. Son volume est*
◀ *inférieur à celui du gaz naturel d'origine.*

brûler le gaz naturel (torchères) parce que son exploitation ne leur paraît pas aussi rentable que celle du pétrole.

Les gaz de houille et de pétrole

Le gaz de houille, qui a été long-temps la principale source d'usage domestique, était obtenu par distil-lation. Il existe aujourd'hui de nom-breux autres procédés plus efficaces pour transformer le pétrole et le charbon en gaz domestique, substi-tut plus riche du gaz naturel.

Le butane et le propane sont obte-nus par distillation du pétrole. Ils peuvent être liquéfiés sous pression et stockés dans des récipients.

L'hydrogène

Dans les 50 années à venir, nos ressources en gaz et en pétrole, déjà limitées, deviendront de plus en plus rares. Les quantités de charbon, de pétrole et de combustibles nucléai-res demeureront peut-être suffisan-tes pour alimenter les centrales. Mais on ne trouvera plus ces com-bustibles sous des formes directe-ment utilisables par les voitures, les camions et les avions.

Une solution à ce problème serait de fabriquer de l'hydrogène. L'éner-gie électrique des centrales pourrait servir à la production d'hydrogène par électrolyse. Cet hydrogène, avec les développements de la technolo-gie, constituerait un excellent carbu-rant.

▲
Les Chinois ont été les premiers à découvrir l'utilité du gaz naturel. Cette gravure ancienne représente une installation d'évaporation de sel.

Un des bateaux poseurs de pipe-line qui relie les installations de la mer du Nord à la Grande-Bretagne.
▼

Bateau poseur de pipe-line

pipe-line

Combustibles nucléaires

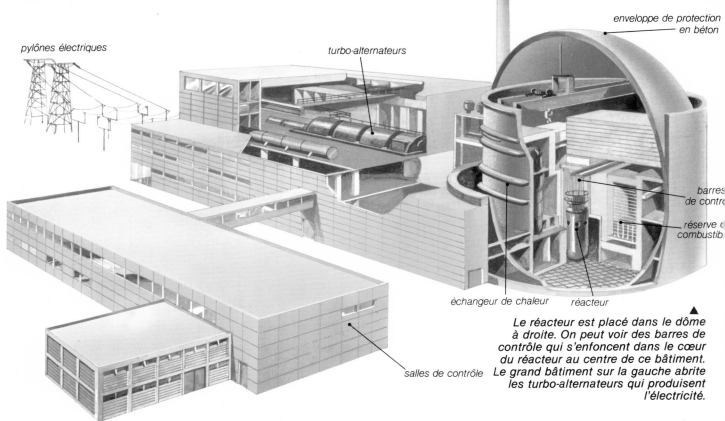

pylônes électriques

turbo-alternateurs

enveloppe de protection en béton

barres de contrôle

réserve de combustible

échangeur de chaleur

réacteur

salles de contrôle

▲ *Le réacteur est placé dans le dôme à droite. On peut voir des barres de contrôle qui s'enfoncent dans le cœur du réacteur au centre de ce bâtiment. Le grand bâtiment sur la gauche abrite les turbo-alternateurs qui produisent l'électricité.*

En 1905, A. Einstein a révolutionné la pensée scientifique en publiant un article sur la relativité.

Selon lui, matière et énergie sont des formes différentes de la même chose. L'énergie (E) peut être transformée en de la matière de masse (m) et réciproquement, ce qui est formalisé par l'équation maintenant célèbre $E = mc^2$, où c est la vitesse de la lumière.

La théorie atomique

Au cœur de chaque atome constituant toute matière, se trouve un microcospique *noyau* formé de particules encore plus petites : les *neutrons* et les *protons*. Pour un élément donné, le nombre de protons de son noyau est invariable ; c'est le *nombre atomique*.

Un élément peut avoir des formes différentes appelées *isotopes*. Chaque isotope a un nombre particulier de neutrons. La somme des nombres de protons et de neutrons est le *nombre de masse* de l'*isotope*. Le noyau d'uranium est constitué de 92 protons. L'uranium possède 2 isotopes : l'un à 146 neutrons, donc un nombre de masse de 238 d'où son nom d'uranium-238 ; l'autre l'uranium-235 n'a que 143 neutrons.

Réacteurs thermiques

Quand un neutron libre frappe un noyau d'uranium-235, celui-ci se désintègre en deux noyaux plus petits, en libérant 2 neutrons et de l'énergie. Si ces neutrons libérés brisent à leur tour d'autres noyaux d'uranium-235, une réaction en chaîne s'amorce et produit une très grande quantité d'énergie. Cette réaction est dite fission. Si elle n'est pas contrôlée, tous les noyaux contenus dans la masse d'uranium se désintègrent en une fraction de seconde, et c'est une explosion dévastatrice. Si, par contre, son contrôle est assuré dans un réacteur, on obtient un flux de chaleur constant.

La réaction de fission qui se produit dans le réacteur est contrôlée

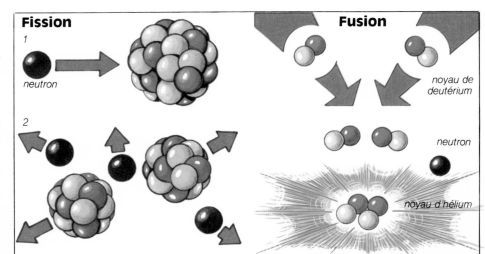

Fission

1

neutron

2

Fusion

noyau de deutérium

neutron

noyau d'hélium

La fission intervient quand un noyau d'uranium est frappé par un neutron(1). Il se désintègre et libère de l'énergie(2). Les neutrons libérés peuvent produire la désintégration d'autres noyaux.

La réaction de fusion la plus simple se produit quand deux noyaux de deutérium se combinent pour former un noyau d'hélium. Cette réaction libère une énergie énorme.

Cette fantomatique lueur bleue est la manifestation de l'effet Cerenkov. Elle est émise par les barres de combustibles d'uranium épuisées. ▶

au moyen de barres d'une substance qui absorbe les neutrons, le cadmium par exemple. En enfonçant ou en retirant ces barres de la masse de combustible, on contrôle le nombre de neutrons disponibles pour le déclenchement des fissions.

Les réacteurs à neutrons rapides

Ce sont des réacteurs où la réaction en chaîne se produit en l'absence de modérateurs (substances qui ralentissent les *neutrons rapides*). Ces réacteurs utilisent comme réfrigérants des métaux liquides, tel le sodium. Ils peuvent employer comme combustible le résidu des réacteurs thermiques. Leur seul et grand avantage est qu'ils produisent du plutonium à partir de l'uranium enrichi original. Ce plutonium peut être réutilisé comme combustible.

La fusion nucléaire

A des températures de l'ordre de 4 000 000 °C, il est possible d'amalgamer des noyaux atomiques. Cette fusion produit souvent une transformation de la masse en énergie. La gigantesque quantité d'énergie libérée par l'explosion de la bombe à hydrogène provient de la fusion nucléaire de deux atomes de deutérium (un isotope de l'hydrogène).

Les trois étapes d'une réaction en chaîne :
1. Fission d'un noyau d'uranium libérant trois neutrons et de l'énergie.
2. Quelques neutrons libres sont capturés par d'autres noyaux et les neutrons se multiplient.
▼

3. De plus en plus de noyaux se désintègrent dans cet environnement. Dans un réacteur, le nombre de fissions atteint 3 000 000 par seconde.

Cet essai atomique au Nevada (Etats-Unis) est le résultat d'une réaction en chaîne incontrôlée.

Réaction en chaîne

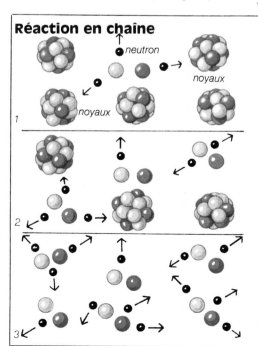

Les économies d'énergie à

Tous les pays gaspillent une grande quantité d'énergie. Le but des économies d'énergie est de réduire ce gaspillage.

L'usage domestique représente 30 % de toute l'énergie consommée dans les régions tempérées et le chauffage constitue 60 % de ce total. Dans le reste du monde, l'énergie consommée à des fins domestiques varie avec le climat. Dans les pays chauds, le conditionnement d'air est généralement une nécessité que seuls les gens riches peuvent se payer. On emploie d'autres moyens moins onéreux tels que le blanchiment des murs extérieurs pour refléter les rayons du soleil et l'utilisation de murs épais pour ralentir la propagation de la chaleur extérieure.

La propagation de la chaleur

L'énergie calorifique se propage à partir des endroits où la température est la plus élevée vers ceux où la température est plus basse, selon trois processus très différents : rayonnement, convection et conduction. Le rayonnement infrarouge, analogue à la lumière, se propage à travers l'espace sous forme d'ondes. La chaleur se propage par convection dans les liquides et les gaz, et le plus souvent par conduction dans les solides. Les mauvais conducteurs (isolants) les plus courants sont le polystyrène, l'air et l'eau.

L'isolation des immeubles

Les propriétés des différents isolants calorifiques sont souvent évaluées selon une échelle U variant de 0 à 5, le meilleur isolant étant celui dont le U est le plus bas.

Pour éviter la propagation de l'humidité à travers les murs, les constructions nouvelles comportent deux murs séparés. Les pertes de chaleur peuvent être réduites en remplissant l'espace laissé libre par un matériau isolant tel que la mousse de polystyrène.

Les courants de convection entraînent des pertes de chaleur par les toits. Une couche de 100 mm de matériau isolant sur le plafond peut réduire ces pertes de près de 50 %.

Les jours de soleil, les fenêtres situées au sud peuvent absorber une grande quantité d'énergie solaire, bien qu'elles soient en général des causes de perte d'énergie. Le double vitrage est une solution très efficace mais coûteuse.

La ventilation est un renouvellement de l'air intérieur. Elle permet aussi l'évacuation de l'humidité et évite la condensation. La ventilation entraîne cependant des pertes de chaleur. Pour réduire ces pertes au

L'air est un excellent isolant thermique. La couche d'air entre les deux vitres réduit la quantité de chaleur perdue à travers les fenêtres.

Isolation par injection de mousse dans l'espace compris entre les murs d'une double paroi.

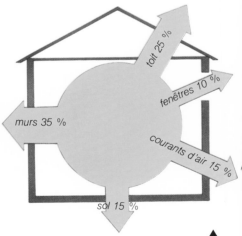

toit 25 %
fenêtres 10 %
murs 35 %
courants d'air 15 %
sol 15 %

Pertes typiques dans une maison en climat tempéré dont l'isolation est défectueuse.

Photo prise avec un film sensible au rayonnement infrarouge (chaleur). Les rouges et les jaunes éclatants indiquent les endroits où se perdent les plus grandes quantités de chaleur.

la maison

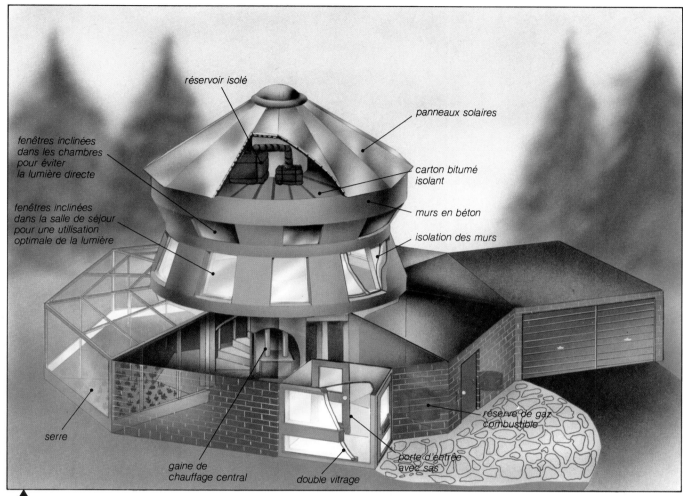

réservoir isolé

panneaux solaires

fenêtres inclinées
dans les chambres
pour éviter
la lumière directe

carton bitumé
isolant

fenêtres inclinées
dans la salle de séjour
pour une utilisation
optimale de la lumière

murs en béton

isolation des murs

serre

réserve de gaz
combustible

gaine de
chauffage central

double vitrage

porte d'entrée
avec sas

Imaginée par un artiste, voici la maison du futur où l'on a incorporé divers systèmes d'économie d'énergie.

Les maisons de l'île de Santorin (Grèce) sont peintes en blanc pour réfléchir les rayons du soleil. Leurs murs épais réduisent le flux de chaleur qui les traverse dans les deux sens. ▶

minimum admissible, il faut supprimer les courants d'air en isolant les fenêtres et les portes.

Les vêtements

Les propriétés isolantes des vêtements peuvent être évaluées selon une échelle allant de 0 (nudité) à 4 (vêtements polaires). Les gens habillés de tissus légers (échelon 1) se sentent bien à des températures de l'ordre de 22 °C. Des sous-vêtements longs, un costume en tissu épais, des chaussettes de laine (échelon 1,5) conviennent à des températures de 18 °C. S'habiller ainsi à l'intérieur pourrait nous permettre d'économiser 30 % de notre consommation d'énergie de chauffage.

Les économies d'énergie

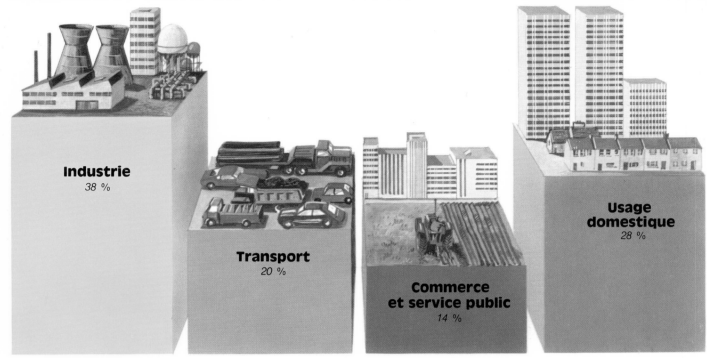

▲ *Les consommations d'énergie des pays industrialisés d'Europe sont très semblables. Les données présentées ici correspondent à la Grande-Bretagne, la France, la Suède, la Hollande et l'Allemagne.*

Industrie
38 %

Transport
20 %

Commerce et service public
14 %

Usage domestique
28 %

Les sources d'énergie sont limitées et précieuses. Elles sont également en voie d'épuisement rapide. Les pays industrialisés ont jusqu'ici gaspillé l'énergie, parfois aux dépens des nations moins développées. Les choses ont changé depuis 1973, quand a commencé la crise du pétrole. Les pays industrialisés ont maintenant pris conscience de la nécessité d'économiser l'énergie.

Tous les pays, y compris ceux qui sont riches en énergie, peuvent participer à la lutte contre le gaspillage. Les nations qui possèdent des sources d'énergie renouvelables pourraient les exploiter à fond pour que les pays moins riches reçoivent une part plus grande de combustibles rares.

Le transport

La plupart des pays industrialisés consacrent au transport à peu près 20 % de leur consommation pétrolière, mais aux Etats-Unis cette proportion atteint 60 %.

Les constructeurs d'automobiles sont obligés aujourd'hui de mettre au point des voitures économiques. La consommation et les performances d'une auto dépendent de la résistance qu'elle offre à l'air. Des études

L'immeuble Mitsui à Tokyo est une gigantesque bâtisse de verre qu'il est impossible d'isoler. Il faut une grande ◄ *quantité d'énergie pour la rendre confortable en hiver comme en été.*

dans le monde

en soufflerie ont montré l'importance des formes aérodynamiques pour réduire l'effet du vent.

Un des exemples les plus étonnants de la technologie automobile moderne est l'introduction d'un ordinateur à bord, qui peut être facilement programmé pour afficher la consommation. Une récente BMW possède même un miniordinateur qui règle automatiquement l'allumage du moteur 100 fois par seconde. De tels progrès amélioreront le rendement des moteurs et réduiront par conséquent la consommation de carburant.

On peut démontrer que de nombreux carburants sont plus efficaces que le pétrole. Des tests récents ont mis en évidence que le moteur à hydrogène a un rendement de 50 % supérieur à celui du moteur à essence. Cependant, l'hydrogène n'est pas un carburant primaire et sa production est très onéreuse.

Les moteurs électriques sont silencieux, présentent un bon rendement et ne sont pas polluants. Leur usage ne semble pas pouvoir se répandre parce qu'on n'a pas encore trouvé le moyen de stocker une quantité suffisante d'énergie pour un long voyage. De plus le poids des batteries nécessaires est élevé et leur prix prohibitif. Tout ceci peut changer avec une découverte importante dans le domaine de la conception des accumulateurs.

Des moteurs Diesel utilisés dans des conditions normales consomment entre 35 et 45 % moins de carburants que des moteurs à essence identiques. S'ils sont plus économiques et s'usent moins rapidement, il présentent toutefois des inconvénients : leurs prix sont plus élevés, ils sont lourds, bruyants et sales.

L'industrie

Une part importante d'énergie est gaspillée dans les bureaux et les bâtiments publics par les gens qui négligent d'éteindre les lumières ou de réguler le chauffage.

Les processus industriels créent généralement une grande quantité de chaleur. Les récupérateurs utilisent cette énergie thermique soit pour le chauffage, soit pour la génération d'électricité.

Les politiques énergétiques

Les Etats peuvent encourager la prise de conscience de ce problème

Aérodynamisme

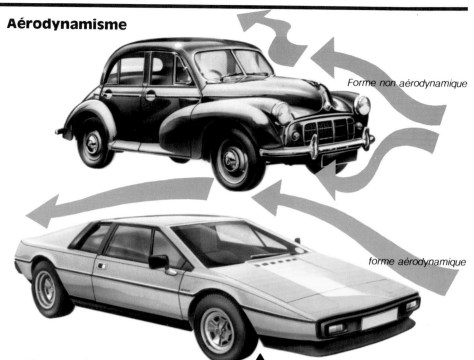

Forme non aérodynamique

forme aérodynamique

en éduquant le public et en subventionnant les mesures d'économie d'énergie. Il n'en reste pas moins vrai que l'augmentation des prix des carburants demeure la mesure la plus efficace (certainement pas la plus populaire) pour encourager les consommateurs à limiter leurs dépenses d'énergie.

▲ *La Morris Minor présente une plus grande résistance à l'air que le modèle aérodynamique. L'utilisation de ces formes peut réduire considérablement la consommation.*

Les procédés industriels créent généralement de grandes quantités de chaleur perdue. La centrale de Vasterås (Suède) a été conçue pour récupérer cette énergie thermique. ▼

Combien cela coûte-t-il ?

1 250 km de territoire le plus froid et le moins hospitalier qu'on connaisse séparent les champs pétrolifères de Pindhoc Bay, à l'intérieur du cercle arctique, du port pétrolier de Valdez en Alaska. Le pipe-line qui relie ces deux points traverse 3 chaînes de montagnes et 20 rivières. Mais les 9 000 millions de dollars qu'a coûtés sa construction ne représentent qu'une faible part des dépenses d'une compagnie pétrolière.

Chaque champ pétrolifère nouveau pose un problème particulier. L'huile lourde du gisement d'Orinaco (Amérique du Sud) est difficile à extraire et donne un produit raffiné de qualité médiocre. Le climat glacial et les mers difficiles rendent très onéreuse l'exploitation du pétrole de haute qualité du Grand Nord.

Les prix

Cependant le prix de vente du pétrole n'est pas déterminé par les seuls coûts de production. A peu près la moitié du pétrole mondial est produit par les pays membres de l'Organisation des Pays Exportateurs de Pétrole (O.P.E.P.). C'est ce groupement qui fixe dans une large mesure le prix mondial du pétrole. Comme les réserves diminuent, les pays membres de l'O.P.E.P. tendent à maintenir leurs hauts revenus. Ces dernières années, certains de ces pays ont réduit leur production

Avec une unité d'électricité seulement...

Un mixer fabrique 250 litres de bouillon de légumes

Une bouilloire porte 6 litres d'eau à ébullition

Un réfrigérateur fonctionne 1 journée

Un séchoir peut être utilisé entre 2 et 4 heures

Un radiateur à ventilateur de 1 kW chauffe 1 heure

Un grille-pain prépare 70 toasts

un radiateur de 2 kW chauffe 1/2 heure

pour ralentir l'épuisement de leurs gisements. Cette réduction entraîne la rareté du pétrole et contribue à augmenter son prix sur le marché.

La production d'électricité

L'énergie électrique est d'utilisation commode, mais elle ne peut être extraite du sol. Toutes les sources d'énergie mentionnées dans ce livre peuvent servir à la production d'électricité, mais le coût de cette production diffère selon la source d'énergie utilisée.

Les sources d'énergie renouvelables sont parfois considérées comme gratuites mais, bien qu'elles n'entraînent pas de dépenses de combustibles, elles nécessitent des

Comparaison entre l'énergie produite par la combustion d'un gramme de combustible liquide ou solide, et d'un mètre cube de gaz (les échelles sont différentes). L'Uranium-235 est utilisé ◄ dans un réacteur thermique.

Rendement des combustibles

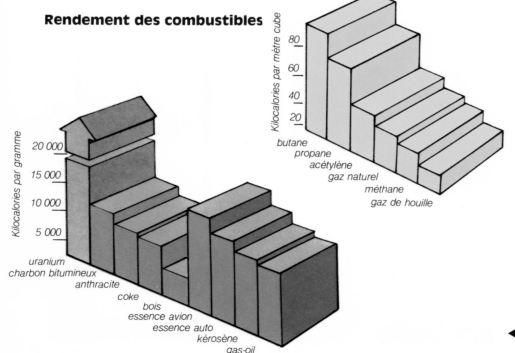

Kilocalories par gramme

20 000
15 000
10 000
5 000

uranium
charbon bitumineux
anthracite
coke
bois
essence avion
essence auto
kérosène
gas-oil

Kilocalories par mètre cube

80
60
40
20

butane
propane
acétylène
gaz naturel
méthane
gaz de houille

Un mixer permet
la préparation de 60 gâteaux

Un fer à repasser
fonctionne 2 heures

Une cafetière électrique
donne 75 tasses de café

Un rasoir électrique
permet 1 800 rasages

Un séchoir à linge
fonctionne 30 minutes

Une lampe de 60 W éclaire pendant 16 heures 30

Un aspirateur peut être utilisé entre 2 et 4 heures

▶ Représentation des coûts d'utilisation de quelques appareils électroménagers sur la base de la consommation d'un kilowatt-heure d'énergie électrique.

Le coût de l'énergie

Les appareils électriques sont classés en fonction de leur puissance. Celle-ci s'exprime en watts (W) ou kilowatts (1 kW = 1 000 watts). La facture d'électricité est établie d'après la consommation enregistrée sur le compteur électrique. L'unité de mesure est le kilowatt-heure (kWh), énergie consommée en une heure par un appareil dont la puissance est un kilowatt. Une machine à laver a généralement une puissance de 3 kW, ce qui entraîne une consommation de 3 kWh. Cette même quantité d'énergie pourrait maintenir allumées cinq lampes de 60 watts pendant 10 heures.

Le chauffage électrique est particulièrement cher. Un radiateur à deux éléments consomme facilement 12 kWh par nuit. Beaucoup de gens essaient de réduire leurs dépenses d'énergie en isolant leur habitation. L'argent dépensé à la chasse aux courants d'air, à l'isolation des toits et des réservoirs d'eau chaude, peut être récupéré en un an.

Le pipe-line de l'Alaska est porté sur des supports de façon à éviter la fusion du permafrost. Il a été mis en service le 1er août 1977. ▼

investissements énormes en équipement. A l'heure actuelle, seule l'hydroélectricité revient à des prix comparables à ceux des combustibles traditionnels.

La production d'électricité à grande échelle à partir de sources renouvelables demanderait la mise en œuvre de centaines de moulins à vents, d'hectares de cellules solaires ou de kilomètres de capteurs de vagues. Les prix de telles installations sont effarants et il se pourrait que leur coût de fonctionnement soit aussi très élevé.

La construction de centrales nucléaires coûte très cher, mais leur fonctionnement est bon marché. L'électricité ainsi produite peut revenir à 60 % du prix des autres moyens. Cependant les gens estiment que les risques inhérents à l'utilisation de centrales nucléaires pèsent beaucoup plus lourd que les économies budgétaires.

Les dangers

Dangers industriels

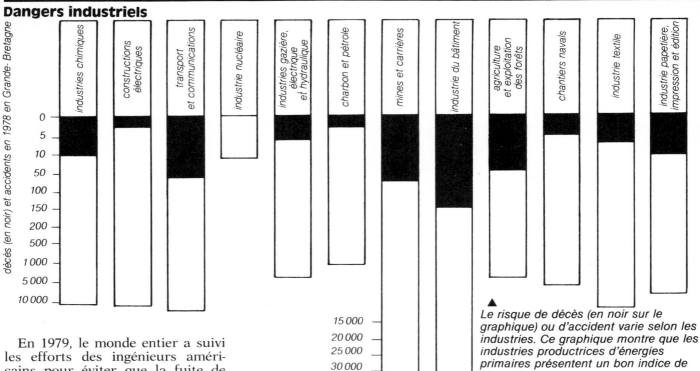

décès (en noir) et accidents en 1978 en Grande-Bretagne

industries chimiques

constructions électriques

transport et communications

industrie nucléaire

industries gazière, électrique et hydraulique

charbon et pétrole

mines et carrières

industrie du bâtiment

agriculture et exploitation des forêts

chantiers navals

industrie textile

industrie papetière, impression et édition

0
5
10
50
100
150
200
500
1 000
5 000
10 000

15 000
20 000
25 000
30 000
35 000
40 000
45 000

▲ *Le risque de décès (en noir sur le graphique) ou d'accident varie selon les industries. Ce graphique montre que les industries productrices d'énergies primaires présentent un bon indice de sécurité.*

La plupart des produits radioactifs sont trop dangereux pour être manipulés à la main. L'automate permet leur manipulation en toute sécurité. ▼

En 1979, le monde entier a suivi les efforts des ingénieurs américains pour éviter que la fuite de radioactivité de la centrale nucléaire de Three Mile Island ne devienne une catastrophe nationale. La publicité faite autour de l'accident a alimenté les sérieux sentiments d'insécurité quant au fonctionnement des centrales nucléaires.

La radioactivité

L'une des raisons principales de la peur de l'énergie nucléaire est que si un accident se produit, il risque d'être très grave. Les centrales nucléaires produisent des matériaux fortement radioactifs et dangereux qui émettent trois types de rayonnements : *alpha*, *béta* et *gamma*. Tous les produits radioactifs doivent être manipulés avec un luxe de précautions, mais les plus dangereux sont les sources de rayons *gamma*.

Le rayonnement *gamma* détruit les cellules vivantes et peut entraîner l'apparition de cancer ou de leucémie. Une personne soumise à un tel rayonnement peut très bien ne pas s'en apercevoir avant que la maladie ne soit diagnostiquée, plusieurs années plus tard. De plus, l'un des combustibles nucléaires, le plutonium, est un poison violent.

Le rayonnement *gamma* peut se propager dans l'air sur de longues distances. Il peut pénétrer une épaisse couche de plomb et de béton. Alors, pour éviter que ces

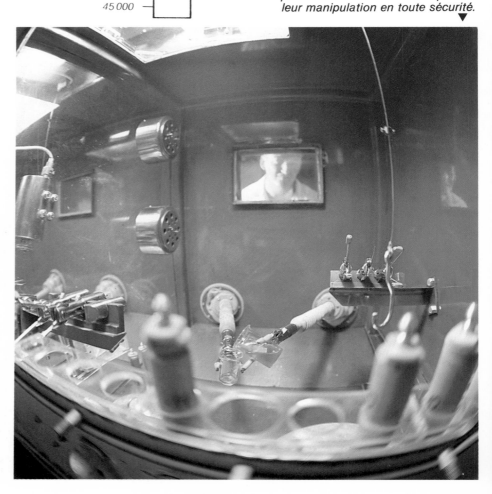

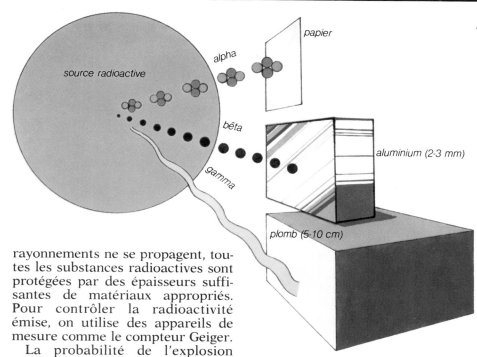

papier

alpha

source radioactive

bêta

aluminium (2-3 mm)

gamma

plomb (5-10 cm)

◀ *Pouvoir pénétrant des particules radioactives. Pour stopper un rayonnement **gamma** de haute énergie, il faut une grande épaisseur de plomb ou de béton.*

Les autres dangers

Les camions citernes dans les rues des villes, les lignes électriques de 400 000 volts et plus au-dessus de nos têtes, les gaz explosifs qui alimentent nos maisons, constituent des risques auxquels nous ne pensons plus. Nous tolérons ces dangers réels parce que nous sommes attachés au bien-être qu'ils nous procurent. Cependant, chaque année des explosions et des électrocutions entraînent de nombreuses morts.

Certains d'entre nous se consacrent à la recherche, souvent très dangereuse, de nouvelles sources d'énergie. Les mineurs, les plongeurs de la mer du Nord, les ouvriers du pétrole figurent parmi la longue liste de ceux qui prennent de grands risques pour que notre monde soit alimenté en combustibles.

rayonnements ne se propagent, toutes les substances radioactives sont protégées par des épaisseurs suffisantes de matériaux appropriés. Pour contrôler la radioactivité émise, on utilise des appareils de mesure comme le compteur Geiger.

La probabilité de l'explosion nucléaire d'un réacteur est faible, mais sa surchauffe est un danger réel. Bien que les systèmes de sécurité soient en double, (voire en triple), l'exemple de Three Mile Island montre que des accidents peuvent survenir.

Enfin, les déchets produits sont également radioactifs et le demeurent très longtemps. Les spécialistes estiment que ces déchets peuvent

être emmagasinés en sécurité à plusieurs milliers de mètres de profondeur sous terre. Mais bien peu de gens se sentent en sécurité au voisinage d'un dépôt.

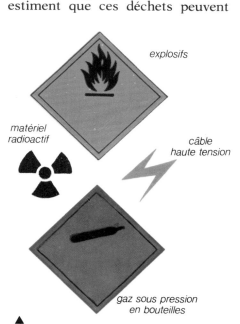

explosifs

matériel radioactif

câble haute tension

gaz sous pression en bouteilles

▲ *Voici quelques signalements usuels de produits dangereux.*

Explosion d'un navire pétrolier en cours de déchargement à Bantry Bay (Irlande). ▶

La pollution

La pollution est la contamination de l'air, des terres, des rivières, des lacs et des mers par des sous-produits nocifs de l'activité humaine. Les polluants sont divers et comprennent aussi bien les ordures ménagères que les déchets industriels ou les gaz d'échappement des automobiles. Ils peuvent salir les immeubles, irriter les yeux, abîmer un paysage, tuer une rivière et créer des problèmes sanitaires sérieux.

De plus en plus de gens prennent aujourd'hui conscience de ces dangers et agissent en commun pour s'y opposer.

La pollution atmosphérique

Les millions de tonnes de charbon brûlées quotidiennement dans le monde se transforment finalement soit en gaz qui se répandent dans l'atmosphère, soit en déchets. Les Etats-Unis consomment en moyenne 913 millions de tonnes de charbon par minute; le temps de lire cette phrase, 15 tonnes de déchets de charbon auront été créées. Les impuretés, les sulfures, le dioxyde de carbone et la suie passent dans l'atmosphère; les cendres résiduelles de charbon forment des déchets solides.

Les cheminées des centrales modernes comportent des filtres qui arrêtent la majeure partie des impuretés et des poussières produites par la combustion. La plupart de ces cheminées sont si hautes que la presque totalité des gaz résiduels passent directement dans la haute atmosphère sans être respirés par l'homme. Cela signifie malheureusement que les couches supérieures se polluent également. Les spécialistes sont particulièrement préoccupés par l'augmentation de la concentration de dioxyde de carbone dans ces régions, car la constitution d'une couche épaisse de ce gaz limite la quantité de chaleur évacuée par la terre vers l'espace. Personne ne peut savoir avec certitude quel en sera l'effet sur le climat terrestre.

Les nappes de pétrole

La destruction des plages, de la vie aquatique et des oiseaux par des nappes géantes de pétrole est une des conséquences de notre dépen-

▲
Voici 27 causes de pollution d'origine humaine. Elles peuvent être divisées en trois catégories : atmosphérique, terrestre et aquatique. La plupart de ces pollutions sont liées à la production d'énergie. Essayez d'abord d'en repérer le plus possible, puis reportez-vous à la page 47 pour en faire une étude plus détaillée.

dance de cette source d'énergie. Il est inévitable que des accidents se produisent, compte tenu du nombre de pétroliers géants qui sillonnent toutes les mers du globe.

Une équipe de spécialistes entre en action dès qu'une nappe est signalée. Son étendue est d'abord évaluée et son trajet probable déterminé. Il est alors nécessaire de décider si l'on va laisser le vent et les vagues disperser le pétrole ou s'il est nécessaire d'utiliser des moyens artificiels. L'attaque par les détergents permet un mélange plus facile du pétrole et de l'eau. Ce mélange se répand dans tout le volume d'eau de mer au lieu de demeurer en surface. Cependant à mesure que ce mélange se dépose au fond, il peut sérieusement endommager la vie marine.

La pollution nucléaire

Les essais à l'air libre de bombes atomiques et les accidents de centrales nucléaires répandent dans l'atmosphère des gaz radioactifs. A l'heure actuelle, ces gaz sont à l'origine de moins de 1 % du rayonnement naturel auquel nous sommes tous soumis. A peu près 68 % de ce rayonnement proviennent des gisements rocheux de granit et des rayons cosmiques. Les sources naturelles qui existent depuis des millions d'années et le rayonnement X à usage médical constituent 98 % de la dose de radioactivité à laquelle nous sommes exposés.

Les déchets nucléaires solides sont très dangereux. Heureusement, une centrale nucléaire en produit peu. Pour une même quantité d'énergie produite, le charbon donnerait 100 000 tonnes de cendres et l'énergie nucléaire une tonne de

déchets. Néanmoins, les dangers de l'énergie nucléaire sont grands parce que ses déchets demeurent très longtemps radioactifs. Cette radioactivité décroît avec le temps, mais pour certains produits, elle peut mettre jusqu'à 500 ans pour atteindre le niveau de la radioactivité trouvée dans la nature.

La pollution automobile

Les moyens actuels de transports rendent nos villes bruyantes et sales. Les gaz d'essence, les poisons que constituent l'oxyde de carbone et le plomb contenus dans les gaz d'échappement polluent l'air que nous respirons. Les différents pays hésitent à mettre en œuvre des réglements anti-pollution parce que des mesures de cet ordre peuvent accroître la consommation d'essence de près de 15 %.

La crise de l'énergie

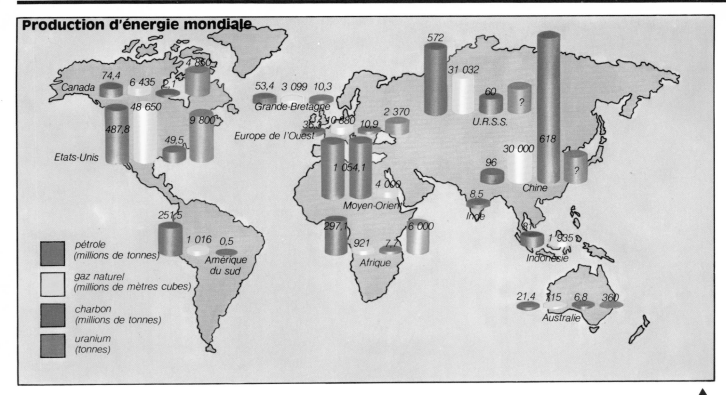

Production d'énergie mondiale

Canada 74,4 6 435 2,1 4 850

Etats-Unis 487,8 48 650 9 800 49,5

251,5 1 016 0,5
Amérique du sud

Grande-Bretagne 53,4 3 099 10,3

Europe de l'Ouest 36,3 10 680 10,9 2 370

Moyen-Orient 1 054,1 4 000

Afrique 297,1 921 7,7 6 000

U.R.S.S. 572 31 032 60 ?

Chine 30 000 618 96 ?

Inde 8,5

Indonésie 81 1 935

Australie 21,4 115 6,8 360

pétrole
(millions de tonnes)

gaz naturel
(millions de mètres cubes)

charbon
(millions de tonnes)

uranium
(tonnes)

A l'heure actuelle 60 % de l'énergie totale dépensée dans le monde proviennent de la combustion du pétrole et du gaz naturel. Malgré de vastes programmes de prospection, peu de nouvelles sources ont été découvertes ces dernières années. Il est donc bien possible que toutes les réserves mondiales de pétrole aient été découvertes; les ressources pourraient, demain, s'épuiser plus vite que prévu.

Les tendances

La production actuelle est suffisante pour répondre à nos besoins. Si nous pouvions continuer à consommer les mêmes quantités, les réserves connues suffiraient pour les 100 années à venir. Malheureusement, la demande d'énergie croît régulièrement depuis cinquante ans et la plupart des spécialistes estiment que cette tendance se maintiendra. Personne ne peut prévoir exactement ce qui nous sera nécessaire, mais il est certain qu'au début du XXIe siècle, nos besoins excéderont nos ressources. Ce problème constitue ce que l'on appelle souvent la *crise de l'énergie*.

Une grande partie du pétrole mondial provient d'un petit nombre de pays du Moyen-Orient. Des événements politiques tels que la guerre du Kippour, en 1973, et la révolution iranienne en 1979, ont sérieusement affecté la production de pétrole. De nouveaux conflits pourraient dans l'avenir réduire le temps qui nous reste pour nous préparer à une future crise.

Les solutions

Développer les sources d'énergie nouvelles et existantes représente la seule solution au problème. Chaque pays devrait varier ses moyens de production. Mais il n'existe pas, de nos jours, de technologie qui puisse remplacer le pétrole, en particulier comme matière première. Il faut dix ans pour qu'un projet de centrale traditionnelle passe au stade de la mise en service. La mise en œuvre de méthodes nouvelles sera par conséquent plus longue. Ce n'est qu'en économisant avec soin nos ressources actuelles que nous pourrons gagner du temps pour nous préparer. La majeure partie de l'énergie qui sera utilisée au XXIe siècle proviendra probablement de nombreux gisements de charbon.

Les centrales nucléaires pourraient répondre à une large part de nos besoins en électricité, mais les ressources mondiales en uranium finiront par s'épuiser. Si la fiabilité des réacteurs rapides pouvait être établie, le problème du combustible nucléaire ne se poserait pas avant plusieurs centaines d'années.

Répartition par continents et pays de la production mondiale actuelle de pétrole, de gaz naturel, de charbon et d'uranium.

Les pays du Moyen-Orient forment la majorité des membres de l'O.P.E.P. Cette organisation possède une influence énorme sur le reste du monde grâce à l'arme du pétrole.

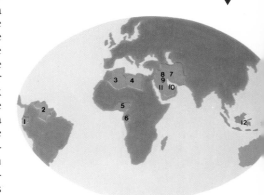

Pays de l'O.P.E.P.

1 Equateur	7 Iran
2 Venezuela	8 Iraq
4 Algérie	9 Koweit
4 Libye	10 Emirats Arabes
5 Nigéria	11 Arabie Saoudite
6 Gabon	12 Indonésie

Par contre, si l'on abandonne l'énergie nucléaire pour des raisons de sécurité ou de pollution, il faudra combler le déficit énergétique par l'utilisation de sources *renouvela-*

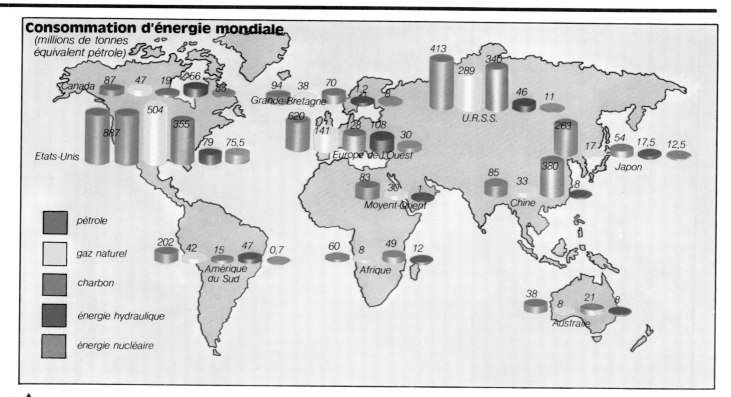

Consommation d'énergie mondiale
(millions de tonnes équivalent pétrole)

Canada 87 47 19 56 88

94 38 70 2 8

413 289 340 46 11

U.R.S.S.

504 355

887

Grande-Bretagne 620 141 128 108 30

Etats-Unis 79 75,5

Europe de l'Ouest

263 17 54 17,5 12,5

Japon

83 30 1

Moyent-Orient

85 33 380 8

Chine

pétrole
gaz naturel
charbon
énergie hydraulique
énergie nucléaire

202 42 15 47 0,7

Amérique du Sud

60 8 49 12

Afrique

38 8 21 8

Australie

▲
Répartition par continents et pays de la consommation mondiale actuelle d'énergie. La comparaison avec la carte de production de l'autre page permet d'intéressantes remarques : il y a un déséquilibre dû au fait que les plus grands consommateurs sont rarement les plus grands producteurs.

bles. De nombreux pays ont encore de vastes possibilités hydroélectriques. Les combustibles biologiques peuvent satisfaire les besoins de certains pays où les conditions climatiques sont favorables. On peut aussi construire des centrales marémotrices, mais en nombre trop restreint pour qu'elles jouent un rôle déterminant.

Les réserves mondiales en pétroles lourds de mauvaise qualité, en sables et schistes bitumineux, sont énormes et seront sans aucun doute exploitées plus intensivement dans le futur. Mais les automobiles, autobus et avions pourront consommer de l'hydrogène si c'est l'option nucléaire qui est choisie; sinon l'essence dérivée du charbon sera une solution possible. Les combustibles biologiques tels que le méthane ou l'alcool pourraient également servir de carburants.

Les armes sont grandes ▶ consommatrices d'énergie.

L'énergie de A à Z

Anthracite: Le plus dur des charbons. Contient plus de 90 % de carbone.

Arbre de Noël: L'ensemble des vannes montées sur la tête d'un puits pour contrôler le débit de pétrole.

Atome: C'est la microscopique *brique* élémentaire de l'édifice constitué par un élément. Un atome est formé d'un noyau comportant des particules plus petites encore, les protons et les neutrons, autour duquel gravite un certain nombre d'électrons.

Biocombustibles: Combustibles dérivés des plantes.

Biomasse: Matière organique pouvant être convertie en biocombustible.

Carbone: Elément présent dans la plupart des substances dont nous tirons l'énergie. Les combustibles fossiles et leurs sous-produits sont riches en carbone. Les composés du carbone libèrent par combustion leur énergie sous forme de chaleur.

Cellule solaire: Appareil transformant l'énergie lumineuse en énergie électrique.

Centrale géothermique: Utilise l'énergie de la chaleur terrestre souterraine pour la transformer en énergie électrique.

Cerenkov (effet): apparaît sous forme d'une lueur bleue diffuse autour de l'élément combustible d'un réacteur. Il est dû au passage de particules au travers d'un milieu transparent à des vitesses plus grandes que celle de la lumière.

Charbon: Gît dans le sol sous forme de couches ou de veines, affleurant parfois à la surface. Dans ce dernier cas, l'exploitation se fait à l'air libre. La majeure partie du charbon est obtenue par excavation de galeries dans les gisements. Plus le gisement est ancien, plus il est riche, et plus son rendement est élevé. Notre charbon est surtout constitué de houilles bitumineuses (70 % à 90 % de carbone). Les autres formes sont l'anthracite, le lignite et la tourbe.

Cheval-vapeur (CV): Unité de mesure de puissance mécanique. Elle correspond à 736 watts.

Chlorophylle: Pigment chimique qui donne aux plantes leur couleur verte. Indispensable à l'utilisation par les plantes de l'énergie solaire, qui conditionne la photosynthèse.

Cinétique (énergie): Energie possédée par un objet du fait de son mouvement.

Combustibles fossiles: Ils dérivent de plantes fossiles qui ont été décomposées et altérées sous l'action de la chaleur et de la pression au cours des millénaires. Le charbon, le pétrole et le gaz naturel sont des combustibles fossiles.

Compteur Geiger : Instrument pour mesurer la présence de matériau radioactif. Le petit tube de verre contient deux électrodes. Les particules

radioactives frappent les molécules d'air dans le tube, libérant des électrons. Les électrons créent un courant électrique mesurable dans le tube.

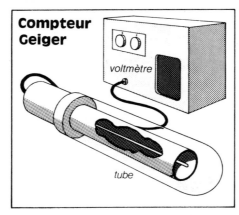

Compteur Geiger

voltmètre

tube

Dépoussiéreur: Dispositif intégré aux cheminées industrielles pour empêcher que la saleté et les poussières ne se répandent dans l'atmosphère.

Deutérium: Isotope de l'hydrogène essentiel au processus de fusion. Il est très rare, mais l'énergie potentielle du deutérium contenue dans un kilomètre-cube d'eau de mer, est équivalente à l'énergie emmagasinée dans la totalité des réserves mondiales de pétrole connues.

Dynamo: Engin qui transforme l'énergie mécanique en énergie électrique.

Echangeur de chaleur: Long serpentin dans lequel circule un fluide chaud. Ce serpentin agit comme élément chauffant et est généralement utilisé pour permettre le transfert d'énergie thermique à de l'eau contenue dans un réservoir.

Energies de remplacement: Energies fournies par des combustibles actuellement étudiés pour remplacer les sources traditionnelles. Les énergies solaire, éolienne, marémotrice, ainsi que celle des vagues sont des énergies de remplacement.

Eolienne: Nom moderne du moulin à vent.

Fission nucléaire: Réaction au cours de laquelle un noyau atomique se désintègre en deux fractions grossièrement égales.

Fusion nucléaire: Réaction au cours de laquelle des noyaux atomiques se combinent (ou se fondent) pour n'en former plus qu'un seul.

Gaz liquéfiables: gaz dérivés du pétrole et liquéfiés pour être stockés plus · facilement. Le méthane et le propane sont les gaz liquéfiables les plus courants.

Gaz naturel: Terme utilisé pour les gaz à forte proportion de méthane que l'on trouve sous terre souvent associés aux gisements de pétrole.

Hydrates de carbone: Résultat de combinaisons entre le dioxyde de carbone et l'eau sous l'effet de la photosynthèse. Les sucres et les amidons sont les hydrates de carbone et constituent la principale source d'énergie de l'alimentation humaine.

Hydrocarbures: Nom général des composés du carbone et de l'hydrogène. Le pétrole est particulièrement riche en hydrocarbures.

Hydroélectrique (énergie): Désigne la production d'électricité par transformation de l'énergie cinétique des eaux courantes. On crée un réservoir en construisant un barrage coupant une vallée. La pression de l'eau augmente avec la profondeur. Aussi plus le barrage est élevé, plus la pression ou *charge* d'eau disponible à la création d'électricité est forte.

Indice d'octane: L'échelle des indices d'octane caractérise les carburants. Plus l'indice est grand, plus on peut utiliser un taux de compression élevé du mélange air-carburant.

Infra-rouge (rayonnement): Partie invisible du rayonnement solaire qui constitue son rayonnement calorifique.

Isolants électriques: Matériaux ne conduisant par le courant électrique. On les utilise pour empêcher les fuites vers la terre des courants sous haute tension dans les câbles de transport, ainsi que pour éviter des court-circuits quand deux fils peuvent se toucher.

Isotope: Le noyau d'un élément comprend à la fois des protons et des neutrons. Les atomes d'un élément donné contiennent tous le même nombre de protons. Les isotopes sont des formes du même élément qui contiennent des nombres différents de neutrons.

Joule (J): Unité de mesure internationale des quantités d'énergie.

Lignite: Charbon mou qui contient moins de 70 % de carbone.

Marées: Phénomène dû à l'attraction gravitationnelle de la lune et, dans une moindre mesure, à celle du soleil, sur les eaux terrestres. Les plus grandes variations apparaissent sur les côtes, et les marées les plus fortes au monde s'observent dans la baie de Fundy (Canada).

Méthane: Hydrocarbure gazeux que l'on trouve sous forme naturelle comme gaz des marais. Il se forme au cours de la végétation, en absence d'air. Il est également produit au cours de la décomposition des ordures, et peut servir de combustible. Mélangé à l'air, c'est un explosif dangereux qui provoque de nombreux accidents de mine (coups de grisou).

Modérateur: Matériau dans lequel sont introduites les barres de contrôle d'un réacteur pour ralentir les neutrons rapides, ce qui les rend plus facilement capturables par les noyaux d'uranium-235. L'eau et le graphite sont utilisés comme modérateurs.

Moteur à combustion interne: Domestique la combustion (combustion du carburant pour libérer l'énergie) dans l'espace clos du cylindre.

Nombre de masse: Somme des nombres de protons et de neutrons d'un noyau atomique

Noyau: Partie microscopique centrale de l'atome formée de protons et de neutrons.

Numéro atomique d'un élément: Nombre de protons du noyau de l'élément. Chaque élément possède son numéro atomique différent des autres.

O.P.E.P.: Organisation des Pays Exportateurs de Pétrole, qui contrôle pratiquement les prix du pétrole dans le monde.

Paraffine: Mélange d'hydrocarbures obtenu au cours de la distillation du pétrole brut. Utilisée pour l'éclairage et le chauffage domestique.

Pétrole: Combustible formé de la même façon que le charbon. Seule l'origine est différente. Alors que le charbon s'est formé à partir de résidus végétaux, le pétrole provient de déchets végétaux et d'animaux minuscules qui vivaient autrefois dans l'eau.

Photosynthèse: Réaction qui intervient dans les plantes vertes et qui permet de transformer l'énergie lumineuse en énergie potentielle chimique. La photosynthèse se traduit par la fabrication d'hydrates de carbone à partir d'eau et de dioxyde de carbone. Seules les plantes contenant de la chlorophylle peuvent absorber suffisamment d'énergie lumineuse pour que la photosynthèse intervienne.

Prospection sismique: Technique qui donne des informations utiles sur les formations rocheuses souterraines. Les ondes de choc d'une explosion se déplacent à des vitesses différentes selon les types de roches traversées et sont enregistrées par une série de détecteurs placés en surface: les géophones. Le temps mis par les ondes pour atteindre les géophones renseigne sur les formations rocheuses rencontrées.

Puissance: Quantité de travail effectué par unité de temps. Son unité internationale de mesure est le watt (W). Un engin dont la puissance est 1 watt, transforme 1 joule d'énergie sous une forme donnée en une autre forme par seconde. Le cheval-vapeur (CV) est aussi une unité de puissance: 1 CV = 736 W.

Puits de pétrole: Ils comprennent un échaffaudage en surface, le derrick, qui supporte le système de forage. Le système est constitué de tiges creuses qui portent à leur extrémité une tête de forage, le trépan, en diamant. Le trépan attaque la roche et la transforme en poussière ramenée en surface par la circulation d'un mélange de boue et d'eau. Le puits de forage est garni de tubes d'acier afin qu'il ne se détruise pas. Lorsque le gisement est atteint, le derrick est retiré et le puits est fermé par un système complexe dit arbre de Noël.

Radioactivité: Phénomène dû à la désintégration ou à la décomposition de noyaux atomiques instables ou à l'activité de radioisotopes. Il peut durer une fraction de seconde ou des millions d'années. Il est accompagné d'émission de particules *alpha* ou *bêta*, ou de rayons *gamma*. Les rayonnements sont dangereux pour la vie végétale et animale, et des précautions sont prises chaque fois que des substances radioactives sont utilisées. Certaines doses de rayonnement peuvent avoir des effets médicaux positifs.

Réacteur à eau pressurisée: Réacteur nucléaire thermique mis au point aux Etats-Unis qui utilise l'eau à la fois comme réfrigérant et comme modérateur.

Quand des atomes d'uranium subissent une fission nucléaire, il y a émission de neutrons qui entraînent la fission d'autres atomes d'uranium, et la réaction en chaîne se développe.

Réfrigérant: Fluide utilisé pour évacuer la chaleur rayonnée par une surface chaude.

Rendement: Tous les convertisseurs d'énergie produisent de l'énergie parasite. Le rendement d'un convertisseur est le rapport de l'énergie disponible à la sortie à l'énergie fournie.

Respiration interne: Réaction qui a son siège dans les cellules vivantes et qui transforme l'énergie chimique emmagasinée dans les hydrates de carbone en d'autres formes utiles d'énergie.

Sources renouvelables: Sources inépuisables d'énergie. Le soleil, le vent, les marées, les vagues, l'eau courante et parfois le sous-sol sont considérés comme des sources renouvelables.

Tourbe: Substance fibreuse marron foncé, suffisamment riche en carbone (moins de 60 %) pour être un bon combustible. La tourbe est découpée, mise à sécher au soleil, puis comprimée en briques.

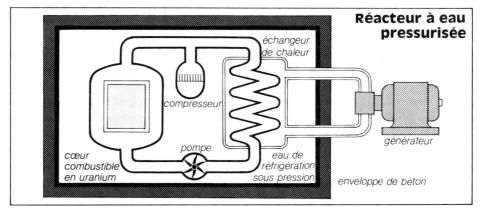

Réacteur à eau pressurisée

échangeur de chaleur

compresseur

pompe

cœur combustible en uranium

eau de réfrigération sous pression

générateur

enveloppe de béton

Réacteur à neutrons rapides (ou à surgénération): Les réacteurs thermiques conventionnels utilisent des modérateurs pour ralentir les neutrons émis par la fission des noyaux de combustible; la probabilité pour ces neutrons d'être capturés par d'autres noyaux est ainsi plus forte, ce qui alimente la réaction en chaîne. Les réacteurs rapides utilisent des combustibles enrichis (combustibles qui contiennent une grande proportion de noyaux facilement fissibles). Dans ce cas, la réaction en chaîne peut être alimentée sans qu'on ait besoin de ralentir les neutrons. Le terme surgénérateur indique que le réacteur produit plus de combustible qu'il n'en utilise.

Réaction en chaîne: C'est une succession d'événements dont chacun est la conséquence du précédent.

Ultra-violet (rayonnement): Partie invisible du rayonnement solaire qui est responsable du bronzage de notre peau. Quand il est intense, il constitue un grave danger pour les organismes vivants.

Uranium: Elément le plus important pour les centrales nucléaires, naturellement radioactif et combustible.

Watt (W): Unité de mesure de puissance équivalant à une énergie de 1 joule fournie en une seconde.

Watt-heure (Wh): Unité d'énergie équivalant au travail fourni par une machine dont la puissance est de 1 watt fonctionnant pendant une heure. 1 Wh: 3600 joules.

Points de repère

Un peu d'histoire

Voici une chronologie abrégée de quelques-unes des principales étapes qui ont été franchies au cours des 200 dernières années.

1769. James Watt brevète le premier moteur à vapeur opérationnel.

1831. Michael Faraday découvre le phénomène de production d'électricité.

1859. Le premier puits de pétrole industriel est foré par Edwin Drake.

1864. J.C. Maxwell prédit l'existence de divers types de rayonnement électromagnétique.

1897. J.J. Thompson découvre l'électron.

1896. Henri Becquerel découvre la radioactivité.

1905. Albert Einstein énonce la théorie de la relativité qui relie masse et énergie selon l'équation $E = mc^2$.

1911. Ernest Rutherford met en évidence l'existence du noyau atomique.

1932. Découverte du neutron par James Chadwick.

1942. Enrico Fermi construit le premier réacteur nucléaire.

1945, Premier bombardement atomique : destruction d'Hiroshima et de Nagasaki (Japon).

1952. Essai de la bombe à hydrogène dans le Pacifique par les Etats-Unis.

1956. Mise en service de la première centrale nucléaire par les Britanniques à Calder Hall.

Les savants dont les noms suivent ont apporté une contribution importante à l'histoire de l'énergie.

Michael Faraday (1791-1867)

En août 1831, Faraday a commencé une série d'expériences qui ont conduit au principe du générateur électrique. L'appareil de Faraday consistait en un disque de cuivre qui pouvait tourner entre les pôles d'un aimant... Un montage bien différent des générateurs modernes.

Faraday était un autodidacte, ce qui rend son génie d'autant plus remarquable. Fils d'un forgeron anglais, sa passion pour la science a vaincu son manque d'éducation scientifique. Son nom demeure attaché à ses travaux sur le développement des moteurs électriques et sur les transformateurs, et à sa formulation des lois de l'électrolyse.

James Prescott Joule (1818-1898)

Son intérêt pour la physique était tel qu'on raconte l'avoir vu repérer la température d'une chute d'eau en Suisse au cours de sa lune de miel.

Joule n'était pas un chercheur professionnel, mais brasseur à Manchester (Grande-Bretagne). En 1843, il inventa un appareil qui établit qu'une quantité donnée d'énergie mécanique fournit toujours la même quantité de chaleur. Dans cet appareil, la chute d'une masse mettait en mouvement une hélice placée dans un réservoir d'eau. Joule mesurait les températures de l'eau avant et après la chute. C'est en hommage à son importante contribution à la compréhension des phénomènes énergétiques que l'unité internationale d'énergie porte son nom.

Henri Becquerel (1852-1908)

Physicien français qui a découvert la radioactivité. Intéressé par les rayons X découverts par Röntgen, il pensait que ceux-ci étaient à l'origine du rayonnement radioactif. En 1896, il s'aperçoit par hasard que du minerai d'uranium avait voilé une plaque photographique laissée à proximité et établit ainsi que l'uranium émet un rayonnement. Ce phénomène nouveau et étrange fut baptisé plus tard radioactivité par la physicienne Marie Curie.

Ernest Rutherford (1871-1937)

Né dans une ferme néo-zélandaise, Rutherford a fait ses études supérieures à l'université de Canterbury à Christchurch. Une fois diplômé, il enseigna quelque temps avant de rejoindre le laboratoire Cavendish à Cambridge (Grande-Bretagne).

Suivant le travail de Becquerel, il identifia en 1899, les rayonnements *alpha* et *béta*. Il est plus connu, cependant, pour sa découverte, en 1911, du noyau de l'atome. Bien que les expériences aient été menées par un jeune étudiant, Ernest Marsden, c'est l'interprétation brillante de Rutherford qui en constitue l'apport fondamental.

Albert Einstein (1879-1955)

Employé à l'office des brevets de Berne (Suisse), A. Einstein publia en 1905 cinq articles qui ont révolutionné la physique. L'un d'entre eux comportait l'équation scientifique probablement la plus célèbre de toutes : $E = mc^2$; elle énonce que l'énergie et la masse peuvent être transformées l'une en l'autre, et réciproquement. La matière contient donc de vastes quantités d'énergie. Jusqu'à aujourd'hui, toutes les expériences faites en ce domaine ont corroboré la théorie d'Einstein.

Plus tard, Einstein émigra aux Etats-Unis et devint professeur à l'Institut des études supérieures à Princeton (New Jersey), poste qu'il occupa jusqu'à sa mort en 1955.

Quelques équivalences

Une tonne de pétrole équivaut approximativement à 1,5 tonne de charbon, à 5,3 tonnes de tourbe, à 1 167 mètres cubes de gaz naturel ou 12 600 kilowatts-heures d'électricité.

Pollution

Le schéma des pages 40 et 41 décrit 27 pollutions d'origines diverses du sol, de la mer et de l'air. Cette présentation est loin d'être complète, mais montre que la pollution atmosphérique est due à 12 causes au moins, la pollution terrestre à 6 causes, et la pollution marine à 9.

La pollution atmosphérique peut être due à l'*âge de l'espace*. Les fusées au décollage émettent du combustible, des déchets et des gaz d'échappement qui se répandent dans l'atmosphère. Les avions font du bruit, et les engins supersoniques créent les *bang*. La trace de vapeur que laissent les avions est formée de carburant non consumé et de particules de suie.

La pollution due aux cheminées industrielles est répandue dans toute l'atmosphère par les vents et courants d'air. L'augmentation de la teneur en dioxyde de carbone de l'atmosphère sert d'isolant thermique à la terre. L'épandage de pesticides contribue à la pollution du sol et de l'air. Les produits chimiques peuvent s'accumuler dans le corps des animaux et perturber la chaîne alimentaire. Les tours de réfrigération transfèrent de grandes quantités de chaleur à l'air ambiant. Il peut y avoir des fuites dans les centrales nucléaires et le réfrigérant radioactif peut se répandre dans l'atmosphère.

Les échappements de gaz des voitures contiennent du plomb, du carburant non brûlé et de l'oxyde de carbone (poison). La plupart des combustibles domestiques sont insuffisamment brûlés et les bateaux à Diesel peuvent émettre des gaz et des particules polluantes.

Le paysage du dessin est pollué par les mines de charbon et les carrières. Les terrils et les déchets sont abandonnés en monticules disgracieux. Les pylônes électriques et les rails de sécurité sur les autoroutes sont des exemples de pollution du paysage. Les ordures sont souvent déposées au lieu d'être recyclées, ce qui est plus cher. Malheureusement les déchets actuels comportent une grande proportion de matière plastique difficile à éliminer. Les autoroutes et les aérodromes occupent de vastes espaces de terre cultivable. Les installations industrielles modernes posent sur une grande échelle le problème de l'élimination des déchets.

L'eau est l'égout naturel de l'homme. Pesticides agricoles et rejets industriels polluent les sources et les rivières, mais comme l'eau est un moyen de transport efficace, tout cela arrive au bord de la mer. L'effet de cette dernière pollution est difficilement évaluable parce qu'elle se produit là où la productivité alimentaire de la mer est la plus forte. Des déchets corrosifs et nucléaires sont immergés sans que l'on s'inquiète des fuites éventuelles. La navigation pétrolière en vue des côtes augmente les conséquences d'un accident. Les nappes pétrolières peuvent apparaître de façon accidentelle, ou volontaire (nettoyage de citernes).

Index

Traduction
Rosyl

Dessinateurs
John Davis, Keith Duran, Tony Gibbons,
Elpin Lloyd-Jones, Clive Spong,
Craig Warwick, Tom Macarthur,
John Marshall.

Photographes
Allsport: 18
British Petroleum Co Ltd: 37
Camera Press: 43
Daily Telegraph Colour Library: 15
Department of Energy: 32
Eurisol UK Ltd: 45
Richard Garratt: 12-13
Alan Hutchison Library: 20, 21, 25, 33
Lloyd's Register of Shipping/CMB SA: 28
Peter Loughran: 2-3
Richard McBride: 13, 35, 44
NASA: 17
Rex Features: 39
Bill Tingey: 34
UKAEA: 31 (en haut)
Zefa Picture Library : front cover, 9, 10, 11,
14, 27, 31 (en bas), 38.

© Macdonal Educational Limited, 1980.
© Editions Etudes Vivantes, 1981
pour l'édition française.
ISBN : 2-7310-1630-2.
Dépôt légal : 1ᵉʳ trimestre 1981.
Bibliothèque nationale (Paris).
Bibliothèque nationale du Québec.
Bibliothèque nationale du Canada.
Imprimé en Belgique par
Henri Proost, Turnhout.

ETUDES VIVANTES
19/21, rue de l'Ancienne-Comédie
Paris 75006

6700, chemin Côte-de-Liesse
Saint-Laurent H4T 1E3 (Canada)